Netzwerk

Deutsch als Fremdsprache

A2

Mit Audio-CDs

Arbeitsbuch A2

Stefanie Dengler
Paul Rusch
Helen Schmitz
Tanja Sieber

Ernst Klett Sprachen

Stuttgart

Von
Stefanie Dengler, Paul Rusch, Helen Schmitz, Tanja Sieber

Projektleitung: Angela Kilimann
Redaktion: Sabine Franke und Sabine Wenkums
Gestaltungskonzept, Layout und Cover: Andrea Pfeifer, München
Illustrationen: Florence Dailleux
Bildrecherche: Sabine Reiter
Satz und Repro: kaltner verlagsmedien GmbH, Bobingen

Audio-CDs
Musikproduktion, Aufnahme und Postproduktion: Heinz Graf, Puchheim
Regie: Sabine Wenkums

Verlag und Autoren danken Margret Rodi und allen Kolleginnen und Kollegen, die Netzwerk begutachtet sowie mit Kritik und wertvollen Anregungen zur Entwicklung des Lehrwerks beigetragen haben. Wir danken außerdem dem Kaisergarten (München), der Münchner Verkehrsgesellschaft (MVG), der Gasteig München GmbH, Alexander Vesely, dem GaumenSpiel und der Deutschen Bahn AG für ihre freundliche Unterstützung bei den Fotoaufnahmen.

Netzwerk A2 – Materialien

Teilbände	
Kurs- und Arbeitsbuch A2.1 mit DVD und 2 Audio-CDs	606142
Kurs- und Arbeitsbuch A2.2 mit DVD und 2 Audio-CDs	606143
Gesamtausgaben	
Kursbuch A2 mit 2 Audio-CDs	606997
Kursbuch A2 mit DVD und 2 Audio-CDs	606998
Arbeitsbuch A2 mit 2 Audio-CDs	606999
Zusatzkomponenten	
Lehrerhandbuch A2	605010
Digitales Unterrichtspaket A2 (DVD-ROM)	605011
Interaktive Tafelbilder A2 (CD-ROM)	605012
Intensivtrainer A2	607000
Testheft A2	605013
Interaktive Tafelbilder zum Download unter www.klett-sprachen.de/tafelbilder	

Besuchen Sie uns auch im Internet: www.klett-sprachen.de/netzwerk

Audio-Dateien zum Download unter www.klett-sprachen.de/netzwerk/medienA2
Code: nW2q%F4

1. Auflage   1 ¹⁰ ⁹ ⁸ | 2021 20 19

Druck und Bindung: Print Consult GmbH, München

ISBN 978-3-12-606999-1

MIX
Papier aus verantwortungsvollen Quellen
FSC® C084279

Netzwerk – das Arbeitsbuch

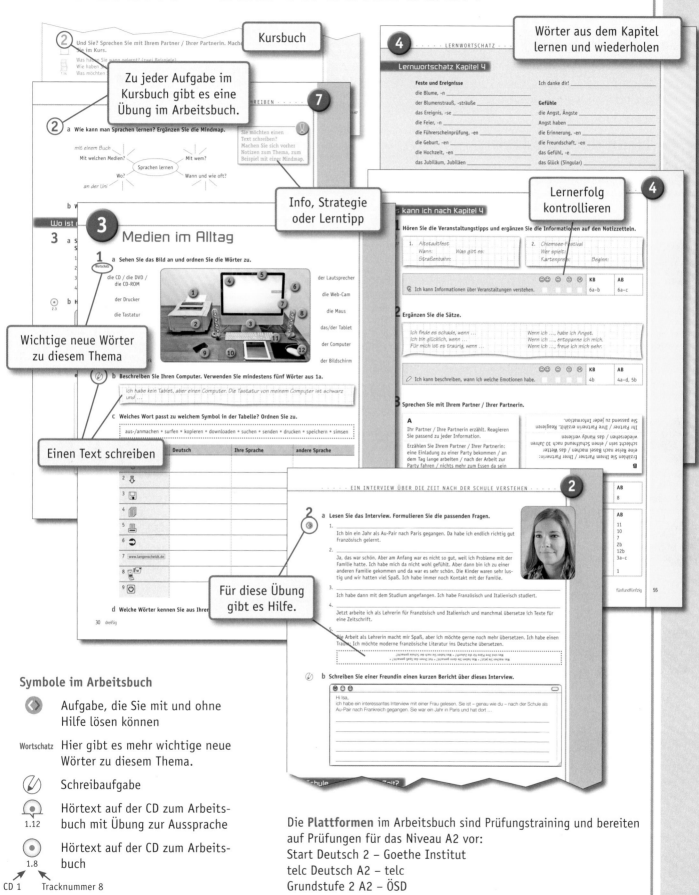

Kursbuch

Zu jeder Aufgabe im Kursbuch gibt es eine Übung im Arbeitsbuch.

Wörter aus dem Kapitel lernen und wiederholen

Info, Strategie oder Lerntipp

Lernerfolg kontrollieren

Wichtige neue Wörter zu diesem Thema

Einen Text schreiben

Für diese Übung gibt es Hilfe.

Symbole im Arbeitsbuch

◇ Aufgabe, die Sie mit und ohne Hilfe lösen können

Wortschatz Hier gibt es mehr wichtige neue Wörter zu diesem Thema.

✍ Schreibaufgabe

🎧 Hörtext auf der CD zum Arbeits-
1.12 buch mit Übung zur Aussprache

🔘 Hörtext auf der CD zum Arbeits-
1.8 buch

CD 1   Tracknummer 8

Die **Plattformen** im Arbeitsbuch sind Prüfungstraining und bereiten auf Prüfungen für das Niveau A2 vor:
Start Deutsch 2 – Goethe Institut
telc Deutsch A2 – telc
Grundstufe 2 A2 – ÖSD

Inhalt

1 Rund ums Essen

1

a Beim Essen. Was passt zusammen? Ordnen Sie zu.

1 _F_ Das schmeckt gut, oder?

2 ____ Oh, das ist lecker. Hast du das gekocht?

3 ____ Hast du Durst? Möchtest du etwas trinken?

4 ____ Warum isst du nichts?

5 ____ Hier riecht es aber gut!

6 ____ Kann ich dir helfen?

A Ach, ich habe keinen Hunger.

B Ja, du kannst den Tisch decken.

C Danke, möchtest du probieren?

D Ja, kann ich eine Cola haben?

E Ja, möchtest du das Rezept haben?

F Ich finde es ein bisschen zu salzig.

Wortschatz **b Was schmeckt so? Notieren Sie jeweils ein Substantiv. Das Wörterbuch hilft.**

süß	sauer	scharf	fett	salzig	bitter

der Kuchen _____ _____ _____ _____ _____

c Arbeiten Sie zu zweit. Jeder wählt einen Text. Was steht in Ihrem Text? Informieren Sie Ihren Partner / Ihre Partnerin.

A

Für den schnellen Hunger gibt es die Curry-wurst – eine Grillwurst aus Schweinefleisch und Rindfleisch mit Ketchup und Curry. Die typischen Beilagen sind Brötchen oder Pommes frites. Als Imbiss zwischendurch ist die Curry-wurst sehr beliebt. In Berlin, der Geburtsstadt der Currywurst, gibt es sogar ein Currywurst-Museum (www.currywurstmuseum.de). Aber auch eine andere Spezialität ist sehr beliebt: der Döner. Es gibt in Deutschland über 16.000 Döner-Buden.

sehr beliebt.
Bayern sind zum Beispiel die Brezen (Brezeln)
Jede Region hat ihre eigenen Spezialitäten, in
und über 2000 verschiedene Brotspezialitäten.
gibt heute über 300 verschiedene Brotsorten
sie glauben, dass es besonders gesund ist. Es
Brot. Viele Leute essen gern Vollkornbrot, weil
Jahr isst jeder Deutsche im Durchschnitt 84 Kilo
mit Butter und Marmelade, Käse oder Wurst. Pro
besonders gern zum Frühstück oder Abendessen,
Die Deutschen lieben ihr Brot und essen es

B

 d Schreiben Sie einen Text über Ihr Lieblingsessen oder eine Spezialität in Ihrem Land.

Im Kochkurs

2

a Sie möchten eine Kartoffelsuppe kochen. Was müssen Sie machen? Ordnen Sie.

- [ ] die Suppe salzen
- [ ] die Kartoffeln und Karotten schälen
- [ ] Würstchen in die Suppe geben
- [ ] die Kartoffeln und Karotten schneiden
- [ ] das Gemüse ins Wasser geben
- [1] die Kartoffeln und Karotten waschen
- [ ] das Gemüse im Wasser kochen

b Possessivartikel im Dativ. Was ist richtig? Kreuzen Sie an.

1. Marco macht mit seine [ ] seiner [ ] seinem [ ] Freundin einen Kochkurs.

2. Ich finde, das Essen schmeckt bei eurer [ ] eurem [ ] eure [ ] Großmutter besonders gut.

3. Laura will ihr [ ] ihren [ ] ihrem [ ] Freund beim Kochen helfen.

4. Milena will mit ihren [ ] ihre [ ] ihrem [ ] Kindern zusammen kochen.

5. Cem backt gern in sein [ ] seiner [ ] seine [ ] Küche.

6. Am Wochenende isst Tina immer bei ihre [ ] ihren [ ] ihrer [ ] Tante.

c Possessivartikel im Dativ. Ergänzen Sie.

1. ◆ Wo ist denn Laura?
   ◆ Die ist mit _____ Freund bei einem Kochkurs.

2. ◆ Frühstückst du immer mit _____ Familie?
   ◆ Nein, nur am Wochenende.

3. ◆ Kommt ihr mit _____ Kindern zum Abendessen oder allein?
   ◆ Wir kommen alle zusammen! Ist das okay?

4. ◆ Florian fährt morgen zu _____ Eltern und ich bin am Wochenende allein.
   ◆ Dann komm doch zu mir und wir machen Pizza.

5. ◆ Ist das dein Kochbuch?
   ◆ Nein, das gehört _____ Bruder.

6. ◆ Möchten Sie zu _____ Steak auch Kartoffeln?
   ◆ Nein, nur einen Salat, danke.

3

a Bilden Sie Sätze oder Fragen.

einen Kurs machen mit		Freundin
ein Rezept kochen aus	mein- unser-	Kinder
fotografieren lernen von	dein- eur-	Kochbuch
zu Abend essen bei	sein- ihr-/Ihr-	Großeltern
ins Restaurant gehen mit	ihr-	Onkel
tanzen mit		Cousine

Machst du einen Kurs mit deiner ...?

b Possessivartikel im Nominativ, Akkusativ und Dativ. Ergänzen Sie die Dialoge.

1. ◆ Sagt mal, wie war denn e_uer_ (1) Kochkurs?

   ◆ Super, u_____ (2) Kursleiter war sehr nett und wir haben wirklich viel gelernt.

2. ◆ Sie möchten sich für den Kurs anmelden? Dann schreiben Sie bitte I_____ (3) Namen und

   I_____ (4) Adresse auf das Formular.

   ◆ Kann ich vielleicht I_____ (5) Stift haben?

3. ◆ Früher haben m_____ (6) Bruder und ich am Samstag immer mit u_____ (7) Vater

   im Park hinter u_____ (8) Haus Fußball gespielt.

   ◆ Warum nicht im Garten hinter e_____ (9) Haus?

   ◆ Ach, im Park hatten wir mehr Platz. Im Garten hatte u_____ (10) Mutter

   i_____ (11) Blumen.

   ◆ Und? Spielst du heute auch noch mit d_____ (12) Bruder Fußball?

   ◆ Nein, aber m_____ (13) Bruder spielt jetzt mit s_____ (14) Kindern.

4. ◆ Von m_____ (15) Freund habe ich Gitarre spielen gelernt. Auf Festen spielen wir oft

   zusammen, das letzte Mal bei m_____ (16) Geburtstag.

   ◆ Oh ja, ich weiß, e_____ (17) Konzert war toll.

   ◆ Wir spielen am Samstag auf einer Abschiedsparty für u_____ (18) Kollegen.

   Kommst du mit d_____ (19) Freunden?

4

a Fragen und Antworten. Was passt zusammen? Ordnen Sie zu.

1 _C_ Möchtest du nicht probieren?   A Ja, aber ich kann erst um ein Uhr.

2 ____ Hast du keinen Durst?   B Ja, gern. Nächsten Monat?

3 ____ Isst du nie Fast Food?   C Nein danke, ich mag keinen Fisch.

4 ____ Kommst du heute mit in die Kantine?   D Doch, und wie! Ich brauche jetzt eine große Cola.

5 ____ Willst du einen Kochkurs mit mir machen?   E Doch, aber meistens koche ich zu Hause.

b *Ja, doch* oder *nein*? Welche Antwort ist richtig? Kreuzen Sie an.

	◆ Ja,	◆ Doch,	◆ Nein,	
1. ◆ Isst du kein Fleisch?	☐	☐	☐	ich mag kein Fleisch.
2. ◆ Findest du den Koch nicht nett?	☐	☐	☐	er ist sehr sympathisch.
3. ◆ Gehen wir etwas trinken?	☐	☐	☐	gerne. Wohin?
4. ◆ Kommst du morgen nicht zum Kurs?	☐	☐	☐	morgen kann ich nicht.
5. ◆ Der Fisch ist gut, oder?	☐	☐	☐	er schmeckt sehr lecker.
6. ◆ Trinkst du keine Milch?	☐	☐	☐	morgens im Kaffee.
7. ◆ Kannst du kochen?	☐	☐	☐	aber nicht besonders gut.
8. ◆ Macht dir die Übung keinen Spaß?	☐	☐	☐	_____.

5

Die folgenden Personen sind in Ihrem Sprachkurs. Ihr Freund Kadir kann den Kurs nicht mehr besuchen. Beschreiben Sie ihm die neuen Teilnehmer im Kurs.

- Lara Martinelli, 18
- Italien, Rom
- Studium: Medizin in Triest
- Sprachen: Italienisch, Englisch, Deutsch
- Hobbys: Basketball, Kino, Theater

- Nils Jensen, 25
- Dänemark, Kopenhagen
- Ausbildung: Hotelfachmann
- jetzt: Hotel „Zur Rose", Berlin
- Sprachen: Dänisch, Englisch, Deutsch
- mag: reisen, kochen

- Daria Jalowy, 23
- Polen, Warschau
- Beruf: Dolmetscherin
- Sprachen: Polnisch, Englisch, Spanisch, Deutsch
- Hobbys: Bücher, Bücher, Bücher!

⬤⬤⬤ ▱

✎ ❗ 📎 @ *A* ⬤ 📄 **A▴**

Lieber Kadir,

ich hoffe, es geht dir gut. Du bist ja jetzt nicht mehr im Sprachkurs, sehr schade! Es sind ein paar nette

Leute gekommen, zum Beispiel Lara. Sie kommt aus _____ und _____

_____

_____ .

Nils Jensen ist auch sehr sympathisch. Er _____

_____

_____ .

Ich muss dir auch noch von Daria erzählen. Sie _____

_____

_____ .

Vielleicht kannst du ja alle im August kennenlernen. Du kommst doch wieder, oder?

Mail mir bald!

Viele Grüße

_____

6

1.2

Spricht man *ch* wie in *ich* oder *ch* wie in *acht*? Und wie spricht man *-ig* am Wortende? Markieren Sie in den Sätzen *ch* wie in *ich* und *ch* wie in *acht* unterschiedlich (z. B. in verschiedenen Farben). Lesen Sie die Sätze dann laut. Hören Sie zur Kontrolle.

1. Ich spreche nachher mit dem Koch und berichte dann.
2. Möchtest du mich nach dem Kochkurs besuchen?

3. In der Küche riecht es auch richtig gut.
4. Ich brauche noch Milch für den Kuchen.

Die Verabredung

7
Wortschatz

🔘
1.3

a Lisa hat Geburtstag. Sie telefoniert mit einer Freundin und erzählt von der Vorbereitung. Was hat sie schon gemacht? Kreuzen Sie an.

1️⃣ gekocht 2️⃣ geputzt 3️⃣ eingekauft 4️⃣ aufgeräumt

5️⃣ Geschirr gespült 6️⃣ sich umgezogen 7️⃣ den Tisch gedeckt 8️⃣ sich ausgeruht

b Welche Satzteile gehören zusammen? Verbinden Sie.

1 _____ Heute Abend treffe ich   A uns schnell um.

2 _____ Warum meldest du   B sich, es ist schon spät.

3 _____ Er freut   C mich mit Freunden.

4 _____ Vor der Party ziehen wir   D dich nicht?

5 _____ Am besten setzt ihr   E sich schon auf das Treffen.

6 _____ Die Freunde beeilen   F euch dort auf das Sofa.

> **Verben mit Reflexivpronomen**
> Reflexivpronomen und Personalpronomen im Akkusativ sind gleich.
> Du freust **dich**. = Ich sehe **dich**.
> Ausnahme: 3. Person Singular und Plural und Anrede „Sie".
> Er freut **sich**. ≠ Ich sehe **ihn**.
> Sie freuen **sich**. ≠ Ich sehe **sie/Sie**.

c Ergänzen Sie das Reflexivpronomen.

◆ Gestern Abend habe ich _____ über Felix geärgert.

◆ Warum? Was hat er gemacht?

◆ Wir wollten _____ treffen. Aber Felix hat eine Stunde mit seinem Bruder telefoniert.
Sie haben _____ schon seit zwei Monaten nicht mehr getroffen.

◆ Ja und? Das ist doch nett! Aber du hast _____ wahrscheinlich gelangweilt?

◆ Das war nicht das Problem, wir wollten eigentlich ins Kino. Er hat _____ dann beeilt, aber wir waren zu spät.

◆ Habt ihr _____ dann gar nicht getroffen?

◆ Doch, doch. Er hat mich dann zum Essen eingeladen.

◆ Und da hast du _____ nicht gefreut?

◆ Doch. Aber den Film habe ich immer noch nicht gesehen. Wollen wir _____ heute treffen und ins Kino gehen?

◆ Gern!

d Ergänzen Sie die Verben und Reflexivpronomen in Lisas Mail. Achten Sie auch auf die Zeit –
Präsens oder Perfekt?

> sich ärgern • sich treffen • ~~sich melden~~ • sich langweilen •
> sich ausruhen • sich umziehen • sich beeilen • sich unterhalten

Liebe Lisa,
jetzt _melde_ ich _mich_ (1) nur kurz bei dir. Ich muss _____ _____ (2), ich treffe nämlich

gleich meine Eltern. Gestern Abend um halb sechs bin ich von der Arbeit nach Hause gekommen,

dann habe ich _____ schnell _____ (3). Claus und ich haben _____ um sieben Uhr

_____ (4). Wir sind ins Theater gegangen! Ich gehe ja eigentlich nicht gern ins Theater …

Er hat alles allein geplant, ich habe _____ ein bisschen _____ (5). Aber mir hat es dann

sehr gut gefallen ☺, nur Claus war müde und hat _____ _____ (6)! Am Ende haben

wir _____ in einer Bar noch lange und gut _____ (7), zum Glück. Wie war es denn

bei dir? Hast du _____ am Sonntag _____ (8)? Du wolltest doch den ganzen Tag zu
Hause bleiben!
Viele Grüße und bis bald
Helena

8

a Welche Verben sind auch reflexiv? Unterstreichen Sie die reflexiven Verben.

1. tanzen	3. geben	5. ärgern	7. anziehen	9. setzen	11. schlafen
2. beschweren	4. bleiben	6. freuen	8. stehen	10. beeilen	

b Schreiben Sie mit vier reflexiven Verben aus 8a je einen Satz über sich.

_____

_____

9

a Hören Sie die Gespräche. Was passt?

1.4–6

1 Der Mann kommt nicht,
   a weil er ins Kino geht.
   b weil er einen Termin hat.
   c weil er Monika trifft.

2 Vera soll Tina helfen,
   a weil Tina krank war.
   b weil Vera gut Mathe kann.
   c weil Arno keine Zeit hat.

3 Die Frau geht nicht mit,
   a weil sie keine Zeit hat.
   b weil sie keine Lust hat.
   c weil sie keine Schuhe hat.

b Welche Fragen und Antworten passen zusammen?

1 ____ Warum haben Sie sich verspätet?

2 ____ Warum beeilen Sie sich so?

3 ____ Warum haben Sie mich nicht informiert?

4 ____ Warum treffen sie sich nicht mehr?

5 ____ Warum ärgert er sich?

6 ____ Warum freust du dich so?

A Weil ich noch keine Zeit hatte.

B Weil sein Auto kaputt ist.

C Weil ich morgen Geburtstag habe.

D Weil sie sich gestritten haben.

E Weil ich noch einen Termin habe.

F Weil mein Bus nicht gefahren ist.

> **Gesprochene Sprache**
> In der gesprochenen Sprache antwortet man auf Fragen mit *Warum* meistens nur mit dem *weil*-Satz.

c Wie heißen die Sätze richtig? Korrigieren Sie.

1. Lisa ruft nicht an, weil ~~kaputt ist ihr Handy.~~ *ihr Handy kaputt ist.* _____ .

2. Sie musste länger arbeiten, weil ~~ist krank ihre Kollegin.~~ _____ .

3. Lisa hat Hunger, weil ~~gemacht keine Pause sie hat.~~ _____ .

4. Ihre Freunde rufen an, weil ~~wollen sie sehen Lisa.~~ _____ .

5. Lisa ist müde, weil ~~hat sie gearbeitet viel.~~ _____ .

d Was passt? Ergänzen Sie *und*, *aber*, *oder* oder *weil*.

◆ Gehen wir heute schwimmen _____ (1) lieber ins Kino?

◆ Ich möchte gern ins Kino, _____ (2) ich endlich den neuen 3D-Film sehen will.

◆ Dann machen wir das, _____ (3) danach gehen wir noch tanzen.

◆ Ich kann doch nicht tanzen, _____ (4) mein Fuß noch weh tut.

◆ Na gut, dann gehen wir danach in ein Restaurant _____ (5) in eine Kneipe.

◆ Sollen wir uns um sieben _____ (6) um halb acht treffen?

◆ Um halb acht bei dir _____ (7) dann fahren wir mit dem Fahrrad.

10 a Wie heißen die Wörter richtig? Bilden Sie jeweils einen Satz mit dem Wort.

1. M E T U N V R E   _ _ _ _ _ _ _ _ _   *Ich ver............, er ist krank.* _____

2. K E E N N D   _ _ _ _ _ _   _____

3. B L A G U E N   _ _ _ _ _ _ _   _____

4. C H T E I L L I E V   _ _ _ _ _ _ _ _ _ _   _____

b Warum geht das nicht? Schreiben Sie Sätze.

1. Lisa möchte einkaufen.

3. Die Frau möchte zahlen.

2. Die Kinder wollen draußen spielen.

4. Die Freunde wollen Fußball spielen.

1. _Lisa kann nicht einkaufen, weil das Geschäft geschlossen ist._ _____

2. _____

3. _____

4. _____

keinen Ball haben ● (stark) regnen ● das Geschäft geschlossen sein ● kein Geld haben

c Was ist passiert? Schreiben Sie zu jedem Foto eine Vermutung und begründen Sie.

11 a Das Abendessen von Maria und Tobias. Bringen Sie den Dialog in die richtige Reihenfolge und hören Sie zur Kontrolle.

1.7

- [ ] ◆ Schön. Ich kann dir helfen. (1)
- [ ] ◆ Der Kühlschrank ist leer. Ich kann leider nichts kochen. (2)
- [ ] ◆ Oh, ich glaube, wir haben ein Problem. (3)
- [ ] ◆ Dann koche ich etwas für uns. (4)
- [ ] ◆ Super. Aber ich zahle! (5)
- [1] ◆ Hast du Hunger, Tobias? (6)
- [ ] ◆ Ich habe eine Idee. Wir rufen den Pizza-Service an. (7)
- [ ] ◆ Ja, eigentlich schon. (8)
- [ ] ◆ Keine Ahnung, das ist mir jetzt echt peinlich. (9)
- [ ] ◆ Was ist los? (10)
- [ ] ◆ Das ist schade. Was machen wir denn da? (11)

b Hören Sie Maria auf der CD. Sprechen Sie die Rolle von Tobias.

1.8

Dunkelrestaurant

12 a Ein Gast berichtet. Lesen Sie den Kommentar und unterstreichen Sie die Unterschiede zu einem normalen Restaurant. Vergleichen Sie mit Ihrem Partner / Ihrer Partnerin.

> Also ich war am Wochenende in einem Dunkelrestaurant – das erste Mal! Am Anfang war ich etwas nervös, aber dann hat es Spaß gemacht. Aber irgendwie war vieles anders: Wir mussten schon am Eingang unser Essen auswählen – klar, drinnen sieht man ja nichts. Dann hat uns ein Kellner zum Tisch geführt. Jeder Tisch hat einen eigenen Kellner. Er hilft die ganze Zeit. Oft sind die Kellner blind. Wir haben dann Messer, Löffel und Gabel und die Gläser auf dem Tisch gesucht – und gefunden. Aber wie findet man das Essen auf dem Teller? Ganz einfach: Der Kellner erklärt alles wie auf einer Uhr, also zum Beispiel sind die Kartoffeln auf 12, also ganz oben auf dem Teller. Es war nicht leicht, aber lecker. Man weiß nicht genau, was man isst, und konzentriert sich auf den Geschmack. Sehr spannend! Wir haben natürlich viel über das Essen und die Situation geredet und gelacht.

b Arbeiten Sie zu zweit. Setzen Sie sich an einen leeren Tisch. Eine/r macht die Augen zu, der/die andere legt fünf Sachen auf den Tisch. Dann erklärt er/sie, wo die Sachen liegen. Alle Paare beginnen gleichzeitig. Wer findet die Sachen am schnellsten? Wechseln Sie dann die Rollen.

c Wie heißen die Wörter? Ergänzen Sie und notieren Sie Artikel und Plural. Wie heißt das Lösungswort?

1. _ _ _ _ _ _ _ *das Messer, die Messer*

2. _ _ _ _ _ _ _ _____

3. _ _ _ _ _ _____

4. _ _ _ _ _ _ _____

5. _ _ _ _ _ _ _____

6. _ _ _ _ _ _____

7. _ _ _ _ _ _ _ _____

8. _ _ _ _ _ _ _____

9. _ _ _ _ _ _ _ _____

10. _ _ _ _ _____

Lösungswort: _____

Lernen mit allen Sinnen

13 a Lesen Sie die Forumsbeiträge zu „Lernen mit allen Sinnen". Bei welcher Station haben die Personen die Wörter am besten gelernt? Notieren Sie.

Sehen • Fühlen • Riechen • Schmecken • Hören

Lernen mit allen Sinnen	Station
Nicoletta Letzte Woche haben wir im Kurs das Spiel „Lernen mit allen Sinnen" gemacht. Mir haben alle Stationen gut gefallen, weil es spannend war. Vieles habe ich nicht richtig geraten, aber meine Nase funktioniert gut!	_____
Iwona Das war gar nicht einfach. Aber ich esse gern, und deshalb hat mir diese Station gefallen. Ich konnte mir die Wörter gut merken, auch noch nach zwei Wochen. Hören finde ich schwierig, das hat bei mir nicht gut geklappt.	_____
Pierre Die Stationen Hören und Riechen waren lustig. Aber für mich ist Sehen immer sehr wichtig, an der Station konnte ich mir die Wörter gut merken. Fühlen war nichts für mich.	_____

b Schreiben Sie selbst einen Forumsbeitrag wie in 13a.

Station

_____ _____

_____

_____

c Suchen Sie andere Kursteilnehmer mit „Ihrer" Station. Vergleichen Sie Ihre Beiträge.

Das kann ich nach Kapitel 1

R1 Sprechen Sie zu zweit. Jeder stellt eine Person vor.

Marina Meier
Ausbildung: Studium Informatik, Berlin
Beruf/Wohnort: IT-Spezialistin, Bielefeld
Hobbys: Rad fahren, Computerspiele
Sprachen: Deutsch, Englisch

Justus Jakobson
Ausbildung: Studium Sport, Augsburg
Beruf/Wohnort: Fitnesstrainer, Augsburg
Hobbys: Ski fahren, lesen
Sprachen: Deutsch, Englisch, Spanisch

	☺☺	☺	😐	☹	KB	AB
💬🖊 Ich kann mich und andere vorstellen.	☐	☐	☐	☐	5c	5

R2 Hören Sie die Geschichte und bringen Sie die Bilder in die richtige Reihenfolge.

1.9

A __  **B** __  **C** __ **D** __

	☺☺	☺	😐	☹	KB	AB
🖊🎧 Ich kann Bildgeschichten verstehen und wiedergeben.	☐	☐	☐	☐	7a, 8	7a

R3 Sprechen Sie zu zweit. Jeder wählt eine Karte und stellt die Fragen. Antworten Sie mit *weil*.

A

Warum bist du so müde?
Warum gehst du nicht mit uns ins Kino?
Warum bist du zu spät gekommen?

Warum isst du nichts?
Warum freust du dich so?
Warum trinkst du keinen Kaffee?

B

	☺☺	☺	😐	☹	KB	AB
💬🖊 Ich kann etwas begründen.	☐	☐	☐	☐	9–10	9a–d, 10b

Außerdem kann ich	☺☺	☺	😐	☹	KB	AB
🎧 ... Informationen zu Personen verstehen.	☐	☐	☐	☐	2c	
🎧📖 ... Gespräche übers Essen / beim Essen verstehen.	☐	☐	☐	☐	1b, 4a–b	1a, 4a–b
💬 ... über Gefühle sprechen.	☐	☐	☐	☐	9c	
💬 ... ein Restaurant vorstellen.	☐	☐	☐	☐	12d	
📖💬 ... wichtige Informationen aus einem Text weitergeben.	☐	☐	☐	☐		1c
💬🖊 ... Fragen zu einem Text beantworten.	☐	☐	☐	☐	12b, c	12a
💬🖊 ... Vermutungen äußern.	☐	☐	☐	☐	10a	10b, c
💬🖊 ... mich über *Wörter mit allen Sinnen lernen* austauschen.	☐	☐	☐	☐	13	13b, c
🖊 ... eine Geschichte zu Bildern schreiben.	☐	☐	☐	☐	8, 11a	

Lernwortschatz Kapitel 1

vor dem Essen

der Durst (Singular) _____

Durst haben _____

der Hunger (Singular) _____

Hunger haben _____

das Geschirr (Singular) _____

das Kochbuch, -bücher _____

die Pfanne, -n _____

das Sieb, -e _____

der Topf, Töpfe _____

decken _____

den Tisch decken _____

schälen _____

die Kartoffeln schälen _____

schneiden _____

spülen _____

Ich muss das Geschirr spülen. _____

waschen _____

das Gemüse waschen _____

beim Essen

die Bohne, -n _____

die Currywurst, -würste _____

die Kantine, -n _____

das Rindfleisch (Singular) _____

die Zitrone, -n _____

auf|essen _____

Er isst nie alles auf. _____

rüber|geben _____

Kannst du mir das Salz rübergeben? _____

_____

bitter _____

fett _____

lecker _____

Das Essen schmeckt lecker. _____

salzig _____

sauer _____

scharf _____

süß _____

eine Verabredung _____

das Fernsehen (Singular) _____

Heute kommt nichts im Fernsehen. _____

_____

sich ärgern _____

sich auf|regen _____

Reg dich nicht auf! _____

sich aus|ruhen _____

sich beeilen _____

sich freuen _____

sich hin|setzen _____

sich langweilen _____

stören _____

Ich will dich nicht stören. _____

sich treffen _____

Wir treffen uns um acht. _____

sich um|ziehen _____

Vor dem Essen zieht er sich um. _____

_____

Dunkeldinner

die Dunkelheit (Singular) _____

der Eindruck, Eindrücke _____

die Erfahrung, -en _____

das Erlebnis, -se _____

der Gedanke, -n _____

der Geruch, Gerüche _____

das Licht, -er _____

das Menü, -s _____

die Sorge, -n _____

benutzen _____

fühlen _____

Was fühlen Sie? _____

führen _____

Der Kellner führt Sie zum Tisch. _____

_____

sich gewöhnen (an) _____

Ich habe mich an die Dunkelheit gewöhnt. _____

_____

blind _____

riechen _____

Das riecht wie eine Zitrone. _____

Lernen mit allen Sinnen

der Gegenstand, Gegenstände _____

der Kleber, – _____

das Parfum/Parfüm, -s _____

der Sinn, -e _____

vor|bereiten _____

andere wichtige Wörter und Wendungen

begründen _____

begrüßen _____

raten _____

rauchen _____

vermuten _____

erlaubt _____

Rauchen ist nicht erlaubt! _____

schwierig _____

traurig _____

doch _____

Kommst du nicht mit? – Doch. _____

_____

egal _____

Das ist mir egal. _____

gemeinsam _____

nachher _____

unterwegs _____

Sie ist noch unterwegs. _____

wichtig für mich

_____

_____

_____

Notieren Sie jeweils mindestens vier Wörter:

Das braucht man zum Kochen: *das Sieb,* _____

Das braucht man zum Essen: *der Löffel,* _____

So kann etwas schmecken: *süß,* _____

Das esse ich gern: *die Tomate,* _____

Beantworten Sie die Fragen mit einem Satz.

Wann treffen Sie sich mit einem Freund / einer Freundin? _____

Wie haben Sie sich am Wochenende ausgeruht? _____

Wann langweilen Sie sich? _____

Über was haben Sie sich gestern gefreut? _____

2 Nach der Schulzeit

1 Ordnen Sie die Wörter und Ausdrücke den Themen zu. Manche Wörter passen bei mehreren
Wortschatz Themen. Benutzen Sie auch ein Wörterbuch.

> das Klassentreffen • das Lieblingsfach • die Note • ein Praktikum machen • Grafik studieren •
> das Seminar • der Lehrer • eine Ausbildung abschließen • das Zeugnis • der Altenpfleger •
> der Hotelkaufmann • die Krankenschwester • Elektrotechnik studieren • die Uni • die Klasse •
> die Professorin • die Vorlesung • eine Lehre machen • in die Berufsschule gehen

Schule	Ausbildung	Studium	Beruf
das Klassentreffen			

b Wie heißen die Schulfächer in Ihrer oder einer anderen Sprache? Notieren Sie.

Deutsch	Ihre Sprache	andere Sprache
Mathe(matik)		
Physik		
Chemie		
Biologie		
Geografie		
Geschichte		

Deutsch	Ihre Sprache	andere Sprache
Englisch		
Französisch		
Latein		
Musik		
Kunst		
Sport		

c Schule – und dann? Ordnen Sie zu.

1 _F_ Nach der Schule habe ich
2 ____ Aber dann habe ich
3 ____ Ich mache eine Ausbildung
4 ____ Das gefällt mir gut,
5 ____ Die Ausbildung dauert
6 ____ In einem halben Jahr
7 ____ Hoffentlich kann ich dann

A eine Ausbildung angefangen.
B weil ich viel lerne und die Kollegen nett sind.
C bei meiner Bank bleiben.
D bin ich fertig.
E drei Jahre.
F in einem Café als Kellner gejobbt.
G zum Bankkaufmann.

d Was haben Sie nach der Schule gemacht? Schreiben Sie einen kurzen Text wie in 1c.

_____
_____
_____

2

a **Lesen Sie das Interview. Formulieren Sie die passenden Fragen.**

1. _____

   Ich bin ein Jahr als Au-Pair nach Paris gegangen. Da habe ich endlich richtig gut
   Französisch gelernt.

2. _____

   Ja, das war schön. Aber am Anfang war es nicht so gut, weil ich Probleme mit der
   Familie hatte. Ich habe mich da nicht wohl gefühlt. Aber dann bin ich zu einer
   anderen Familie gekommen und da war es sehr schön. Die Kinder waren sehr lustig und wir hatten viel Spaß. Ich habe immer noch Kontakt mit der Familie.

3. _____

   Ich habe dann mit dem Studium angefangen. Ich habe Französisch und Italienisch studiert.

4. _____

   Jetzt arbeite ich als Lehrerin für Französisch und Italienisch und manchmal übersetze ich Texte für
   eine Zeitschrift.

5. _____

   Die Arbeit als Lehrerin macht mir Spaß, aber ich möchte gerne noch mehr übersetzen. Ich habe einen
   Traum: Ich möchte moderne französische Literatur ins Deutsche übersetzen.

   Was sind Ihre Pläne für die Zukunft? ● Was haben Sie nach der Schule gemacht?
   ● Was machen Sie jetzt? ● Was haben Sie dann gemacht? ● Hat Ihnen das Spaß gemacht?

b **Schreiben Sie einer Freundin einen kurzen Bericht über dieses Interview.**

Hi Isa,
ich habe ein interessantes Interview mit einer Frau gelesen. Sie ist – genau wie du – nach der Schule als
Au-Pair nach Frankreich gegangen. Sie war ein Jahr in Paris und hat dort …

_____

_____

_____

_____

Schule – eine schöne Zeit?

3

a **Erinnerungen an die Schule. Lesen Sie noch einmal die Einträge auf der Schulplattform im
Kursbuch, Aufgabe 3a. Machen Sie eine Tabelle mit den Informationen.**

Name	Das war an der Schulzeit gut:	Das war an der Schulzeit nicht gut:
Bernd Christiansen	viel Zeit, 6 Wochen Sommerferien	nicht arbeiten, keine eigene Wohnung, nicht erwachsen
Carsten Spatz	…	
…		

b Hören Sie die Radiosendung. Wie war das in der Schule von Christian? Was hat ihm in der Schule gefallen, was nicht? Ordnen Sie zu.

1.10

> Freunde in der Schule • Pausen • Hausaufgaben • Schulausflüge •
> Latein • Essen in der Schulkantine • Biologieunterricht • Mathe • Ferien

☺   ☹

_____   _____

_____   _____

_____   _____

c Die nächste Anruferin erzählt. Ergänzen Sie *haben* oder *sein* im Präteritum. Hören Sie dann zur Kontrolle.

1.11

Eigentlich _____ (1) ich gern in der Schule. Meine Klasse _____ (2) sehr nett und wir

_____ (3) gute Lehrer. Aber natürlich _____ (4) nicht alles gut in der Schule. In Englisch zum

Beispiel _____ (5) ich gar nicht gut. Ich _____ (6) Probleme mit der Aussprache und immer

viel zu große Angst vor Fehlern. Und in Chemie _____ (7) ich auch oft Probleme. Aber da hat mir

ein Freund geholfen. Lustig _____ (8) es vor allem in den Pausen und auf dem Schulweg. Wir sind

immer mit dem Fahrrad in die Schule gefahren. Da _____ (9) wir immer zu viert oder zu fünft und

das _____ (10) sehr schön.

4

a Schule früher und heute. Lesen Sie die Aussagen im Forum. Wie ist es heute bei Ihnen? Ergänzen Sie.

Früher	**Heute**
Früher mussten die Schüler viele Bücher in die Schule mitnehmen.	*Heute können viele Schüler mit dem Laptop zur Schule gehen.*
Früher musste ich weite Wege zu Fuß gehen oder mit dem Fahrrad fahren.	
Früher durfte mein Vater mittags nach Hause gehen.	
Früher mussten wir samstags zur Schule.	
Früher musstet ihr zu Hause wenig Hausaufgaben machen.	

b Markieren Sie die Modalverben in 4a und ergänzen Sie die Präteritum-Formen in der Tabelle.

Modalverben: Präteritum						
	wollen	**müssen**	**können**	**dürfen**	**sollen**	**Endungen**
ich	wollte	_____	_____	durfte	sollte	_____
du	wolltest	musstest	konntest	durftest	solltest	_____
er/es/sie	wollte	musste	konnte	_____	sollte	_____
wir	wollten	_____	konnten	durften	sollten	_____
ihr	wolltet	_____	konntet	durftet	solltet	_____
sie/Sie	wollten	*mussten*	konnten	durften	sollten	_____

c Ergänzen Sie die Endungen in der letzten Spalte.

d Präsens oder Präteritum? Ergänzen Sie die Modalverben.

1. _____ (müssen) ihr noch Hausaufgaben machen? – Nein, wir sind fertig.

   Wir _____ (dürfen) jetzt schwimmen gehen. Nur Jan _____ (sollen) Mathe üben.

2. Warum _____ (können) du gestern nicht lernen? – Ich _____ (wollen)

   lernen, aber ich war so müde ...

3. Warum waren Sie gestern nicht im Unterricht? – Entschuldigung, ich _____ (können)

   nicht kommen. Ich _____ (müssen) zum Arzt gehen.

5

Wie war das bei Ihnen? Was *konnten, mussten, wollten, durften, sollten* Sie? Wählen Sie ein Thema und schreiben Sie dazu mindestens fünf Sätze. Verwenden Sie Modalverben im Präteritum.

> erster Arbeitstag • letzter Schultag • zum ersten Mal alleine in die Schule gehen •
> zum ersten Mal ein Meeting organisieren • erste Präsentation •
> zum ersten Mal mit einem Freund / einer Freundin in Urlaub fahren

Mit 16 Jahren durfte ich zum ersten Mal mit einer Freundin in Urlaub fahren. Ich musste ...

6

1.12

a *sp* und *st*. Lesen und sortieren Sie die Wörter. Hören Sie zur Kontrolle.

> anstrengen • Arbeitsplatz • August • ausprobieren • ~~Beispiel~~ • besprechen •
> bestellen • Buchstabe • fast • Filmfest • gestern • meistens • Speisekarte • Stuhl • Verspätung

sp		st	
schp wie in *Sport*	*sp* wie in *Transport*	*scht* wie in *Stadt*	*st* wie in *erst*
Beispiel			

b **Hören Sie den Zungenbrecher und sprechen Sie nach.**

1.13

Mein Spitzer spitzt Stifte spielend spitz.
Spielend spitzt mein Spitzer Stifte spitz.

Wo sind meine Sachen?

7

a *hängen, stehen* oder *liegen*? **Welches Verb passt? Ergänzen Sie in der richtigen Form.**

1. Wo ist meine Tasse? Die war immer im Regal. – Jetzt __*stehen*__ alle Tassen im Schrank.

2. Wo ist die Schokolade? – Die _____ im Kühlschrank.

3. Die Uhr ist nicht mehr im Flur. – Ja genau, die _____ jetzt in der Küche über der Tür.

4. Wo ist denn die Kaffeemaschine? – Die _____ neben dem Regal.

5. Und wo ist der Kaffee? – Der _____ im Schrank.

6. Ich finde die Kochbücher nicht. – Siehst du sie nicht? Die _____ im Regal.

7. Und wo ist der Teppich? – Der _____ jetzt im Flur.

8. Wo ist der Kalender? – Der _____ über dem Tisch.

b **Machen Sie eine Skizze von einem (oder Ihrem) Zimmer mit mindestens sieben Gegenständen. Ihr Partner / Ihre Partnerin darf die Zeichnung nicht sehen. Beschreiben Sie ihm/ihr das Zimmer. Er/Sie zeichnet das Zimmer.**

Vorne, in der Mitte, ist die Tür.
Rechts neben der Tür ...

8

a Alles neu in der Küche. Ergänzen Sie.

Wo? ☉	Wohin? ➲	Wo? ☉
1. Die Uhr war _über dem_ Herd. (über)	Wir haben sie _neben das_ Bild gehängt. (neben)	Sie hängt jetzt _____ Bild.
2. Der Zucker war _____ Regal. (in)	Wir haben ihn _____ Schrank gestellt. (in)	Jetzt steht der Zucker _____ Schrank.
3. Das Obst war _____ Kühlschrank. (auf)	Wir haben es _____ Tisch gestellt. (auf)	Das Obst ist jetzt _____ Tisch.
4. Das Bild war _____ Regal. (neben)	Wir haben es _____ Wand gehängt. (an)	Jetzt hängt das Bild _____ Wand.
5. Das Kochbuch war doch _____ Herd. (über)	Wir haben es _____ Regal gestellt. (in)	Jetzt steht es _____ Regal.

Wechselpräpositionen

Machen Sie Lernkärtchen mit einem Beispielsatz und Zeichnungen.

stellen auf + **Akk.**
Ich stelle die Tasche auf **den** Boden.

stehen auf + **Dat**
Die Tasche steht auf **dem** Boden.

b Wohin räumt Eva ihre Sachen? Ergänzen Sie die Sätze.

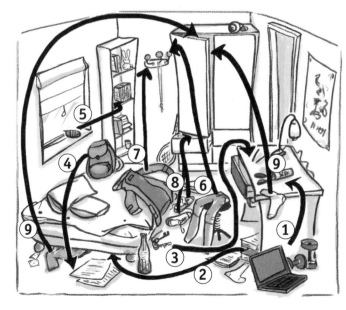

1. Eva stellt den Laptop _auf den Tisch_ .
2. Sie legt die Bücher _____ .
3. Sie legt die Schlüssel _____ .
4. Sie stellt den Rucksack _____ .
5. Das Handy legt sie _____ .
6. Die Hose hängt sie _____ .
7. Sie hängt die Jacke _____ .
8. Die Schuhe stellt sie _____ .
9. Sie legt die Socke und das T-Shirt
   _____ .

C Was macht Laura fast jeden Tag? Schreiben Sie Sätze.

1. um acht / Laura / in / das Zentrum fahren   *Um acht fährt Laura ins Zentrum.*

2. sie / in / ein Kleidergeschäft / arbeiten   _____

3. mittags / sie / in / das Geschäft / essen   _____

4. in der Pause / sie / in / eine Bäckerei / gehen   _____

5. abends / sie / in / der Supermarkt / einkaufen   _____

6. sie / ihr Fahrrad / hinter / das Haus / stellen   _____

7. sie / vor / der Fernseher / essen   _____

9

Nach dem Einkaufen. Was machen Sie? Schreiben Sie 7 Sätze.

der Schlüssel, der Mantel, die Schuhe die Tasche, das Handy die Eier, das Obst die Flaschen, der Kuchen das Fleisch, das Öl, …	hängen stellen legen	an auf in neben unter	die Wand, die Tür der Tisch, der Stuhl der Kühlschrank das Regal, der Schrank die Küche, der Keller, …

Ich stelle die Tasche auf einen Stuhl.

Neu in der Stadt

10

Tobias in Graz. Ergänzen Sie.

1. Tobias studiert ___*an der*___ Technischen Universität in Graz. 2. Er wohnt mit zwei Freunden

_____ Haus weit weg vom Zentrum. 3. Am Abend geht er gern _____ Lokale im

Univiertel. 4. Am Wochenende hatte Tobias Besuch von seinen Eltern. Am Morgen haben sie gemeinsam

_____ Markt am Kaiser-Josef-Platz eingekauft. 5. Mittags waren sie _____ Café im

Stadtpark. 6. Am Nachmittag sind sie _____ Kunsthaus gegangen. 7. Später sind sie noch

_____ Schlossberg und zum Uhrturm gegangen.

an der • auf dem • auf den • im • in die • in einem • ins

11 Eine Freundin besucht Sie in Ihrer Stadt. Lesen Sie die E-Mail und schreiben Sie eine Antwort. Nennen Sie mindestens vier Aktivitäten.

> Hallo,
> ich freue mich schon aufs Wochenende, ich komme am Samstagmittag zu dir und dann geht's los.
> Was machen wir denn?
> Bis Samstag, Sophie

Liebe Sophie,
Ich freue mich, dass du mich endlich mal in … besuchst. …

Schultypen in Deutschland

12 a Schüler und ihre Schulzeit. Welches andere Verb passt nicht? Streichen Sie.

1. Theresa hat das Gymnasium besucht. – gemocht. – ~~gelernt.~~
2. Sie hat im Zeugnis meistens gute Noten bekommen. – gehabt. – studiert.
3. Nach dem Abitur möchte sie Französisch studieren. – bekommen. – lernen.
4. Thomas hat in der Grundschule Lesen und Schreiben gelernt. – gegeben. – geübt.
5. Dann ist er in die Hauptschule gegangen. – besucht. – gekommen.
6. Anne hat in diesem Jahr den Realschulabschluss gemacht. – geschafft. – gefunden.
7. In den Sommerferien hat sie gejobbt. – gearbeitet. – gemacht.
8. Jetzt möchte sie eine Ausbildung als Krankenschwester machen. – beginnen. – sehen.

b Der letzte Schultag. Hören Sie die Radio-Sendung. Was sagen Marcel Schneider und Julia Schmidt? Richtig oder falsch? Kreuzen Sie an.

(1.14)

	r	f
1. Marcel Schneider hat morgen seinen letzten Schultag.	☐	☐
2. Marcel hatte keine guten Noten in der Schule.	☐	☐
3. Deutsch und Englisch haben ihm gefallen.	☐	☐
4. Marcel muss jetzt eine Stelle für eine Ausbildung suchen.	☐	☐
5. Nur Marcels Noten sind für seine Ausbildungsstelle wichtig.	☐	☐
6. Julia arbeitet bald in einer Firma in Brasilien.	☐	☐
7. Julia spricht schon sehr gut Portugiesisch.	☐	☐
8. Nach ihrer Zeit in Brasilien will sie vielleicht an die Uni gehen.	☐	☐
9. Julia hat sich in der Schule ganz allein gefühlt.	☐	☐
10. Julia musste nicht sehr viel für die Schule lernen.	☐	☐

13

a **Eine Traumschule? Ergänzen Sie. Achten Sie auf die Verbform in der Vergangenheit.**

Ich h__ __ __ (1) in der Schule v__ __ __ __ (2) Freunde gefunden. Aber ich h__ __ __ __ (3) wenig Zeit,

w__ __ __ (4) ich sehr viel l__ __ __ __ __ (5) musste. Besonders für Ch__ __ __ __ (6), Physik und Biologie

m__ __ __ __ __ (7) ich viel lernen. Und ich ko__ __ __ __ (8) nie aussch__ __ __ __ __ (9), weil der

Unterricht s__ __ __ __ (10) früh begonnen hat: U__ (11) Viertel vor acht! Schr__ __ __ __ __ __ __ (12)!

Und es war str__ __ __ __ __ (13), weil wir jede Wo__ __ __ (14) Tests und Prüfungen h__ __ __ __ __ (15).

Wirklich keine Traumschule.

b **Lesen Sie den Text. Notieren Sie die Antworten.**

1. Wo hat Lena Richter die Grundschule besucht?
2. Warum war Lena Richter in der Grundschule in Paris unglücklich?
3. Wie lange war sie an der französischen Schule in Wien?
4. Wie lange hat der Unterricht gedauert?
5. Welche Sprache haben die Schüler an der Schule in Wien gesprochen?
6. Warum hat sie den Musiklehrer super gefunden?
7. Wo hat Lena Richter Abitur gemacht?

Von Schule zu Schule

„Ich habe viele Schulen besucht, es waren fünf verschiedene bis zum Abitur in München", erzählt die Ärztin Lena Richter. Das war nicht ihr Wunsch, aber es war einfach so. Ihr Vater hat in vielen Ländern gearbeitet. Zuerst ist Lena in Deutschland in die Grundschule gegangen, dann ist die Familie nach Frankreich gezogen. „Die Grundschule in Paris war streng, sehr streng. Wir mussten still sitzen, wir mussten viele Hausaufgaben machen. Und ich konnte die Sprache noch nicht gut. Ich war sehr unglücklich", sagt Lena Richter. Dann war sie zwei Jahre in einer anderen Schule in Straßburg. Mit 13 Jahren ist sie nach Wien gekommen und hat vier Jahre lang das Lycée Français besucht, eine französische Schule in Wien. „Ich war von 8 bis 16 Uhr in der Schule, und dort haben wir fast nur französisch gesprochen. Wir hatten nur kleine Klassen und ich habe bis heute Freunde aus dieser Zeit."

Frau Richter erinnert sich gern an diese Zeit. „Wir haben in der Schule zu Mittag gegessen und das Essen war ganz okay. Dann hatten wir noch Unterricht oder Lernzeit. Nach der Schule hatte ich dann wirklich frei. Ich hatte Zeit für meine Wiener Freundinnen, für Musik und andere Sachen. Und für die Jungs", erzählt Frau Richter und lächelt. „Unser Musiklehrer war besonders gut. Im Sommer haben wir draußen Gitarre gespielt und gesungen, vor allem die Hits aus den Charts."

Dann ist Frau Richters Familie nach München gezogen und sie war in einem deutschen Gymnasium. Da war der Traum zu Ende. „Wir hatten meistens Unterricht bis 13.30 Uhr, aber danach mussten wir so viele Hausaufgaben machen und lernen. Ich hatte keine Zeit für mich. Für das Abitur mussten wir sehr viel lernen, in allen Fächern. Vielleicht war die Schule auch gar nicht so schlecht", sagt Lena Richter. „Aber ich war nicht gern in München, weil alle meine Freunde in Wien waren."

Das kann ich nach Kapitel 2

R1 Hören Sie. Was sagen die Personen? Ergänzen Sie.

1.15

Michael Halber	Nina Wenzel
Lieblingsfach: _____	Lieblingsfach: _____
nach der Schule: _____	nach der Schule: _____
dann: _____	dann: _____
jetzt: _____	jetzt: _____

	☺☺	☺	😐	☹	KB	AB
🎧📖 Ich kann Berichte über Schule und Ausbildung verstehen.	☐	☐	☐	☐	1–3	1c, 2–4a, 12b, 13b

R2 Berichten Sie über Ihre Schulzeit. Schreiben Sie.

1. (nicht) gern / in / die Schule / gehen
2. (nicht) sehr früh / aufstehen / müssen
3. in ... Probleme / haben
4. wenig Zeit / für ... haben

	☺☺	☺	😐	☹	KB	AB
✎ Ich kann über die Schulzeit und die Zeit danach berichten.	☐	☐	☐	☐	5	1d, 4a, 5

R3 Wohin hast du ... gelegt/gestellt/gehängt? Wo ist ...? Sprechen Sie zu zweit.

A

Sie finden ein paar Dinge nicht. Fragen Sie Ihren Partner / Ihre Partnerin.

　　Handy?　　Tasche?　　Jacke?

Ihr Partner / Ihre Partnerin sucht ein paar Sachen. Wo sind die? Antworten Sie.

　　neben – Tür　　auf – Stuhl　　an – Schrank

B

Ihr Partner / Ihre Partnerin sucht ein paar Sachen. Wo sind die? Antworten Sie.

　　unter – Buch　　in – Flur　　an – Tür

Sie finden ein paar Dinge nicht. Fragen Sie Ihren Partner / Ihre Partnerin.

　　Stiefel?　　Mütze?　　Mantel?

	☺☺	☺	😐	☹	KB	AB
💬✎ Ich kann fragen und schreiben, wo Dinge sind.	☐	☐	☐	☐	7b, 8–9	7–9

Außerdem kann ich	☺☺	☺	😐	☹	KB	AB
🎧 ... Gespräche über die Schulzeit verstehen.	☐	☐	☐	☐	1b	3b–c, 12b
💬 ... über Gewohnheiten sprechen.	☐	☐	☐	☐	9	9
💬 ... über die Schule berichten.	☐	☐	☐	☐	2, 4b, c	
💬 ... über Schultypen sprechen.	☐	☐	☐	☐	12c, d, 13	
📖 ... Informationen über das Schulsystem in Deutschland verstehen.	☐	☐	☐	☐	12a–b	12a
📖✎ ... Tipps für einen Stadtbesuch verstehen und geben.	☐	☐	☐	☐	10a, 11	10, 11

Lernwortschatz Kapitel 2

in der Schule

die Klasse, -n _____

das Klassenzimmer, – _____

die Hausaufgabe, -n _____

die Schuluniform, -en _____

eine Schuluniform tragen _____

die Stunde, -n _____

die Deutschstunde, -n _____

der Stundenplan, -pläne _____

der Unterricht (Singular) _____

die Pause, -n _____

die Ferien (Plural) _____

Sommerferien haben _____

korrigieren _____

Schulfächer

das Fach, Fächer _____

Biologie (kurz: Bio) _____

Chemie _____

Geschichte _____

Geografie _____

Kunst _____

Mathematik (kurz: Mathe) _____

Musik _____

Physik _____

Sport _____

die Fremdsprache, -n _____

das Lieblingsfach, -fächer _____

Noten und Zeugnisse

die Note, -n _____

das Zeugnis, -se _____

der Fehler, – _____

keine Fehler machen _____

die Prüfung, -en _____

der Test, -s _____

nach der Schule

der Abendkurs, -e _____

die Arbeitswelt (Singular) _____

als Au-Pair nach ... gehen _____

die Ausbildung, -en _____

eine Ausbildung zum ... anfangen _____

die Ausbildung dauert ... Jahre _____

das Berufsleben _____

das Berufsleben kennenlernen _____

_____

die Berufsschule, -n _____

die Karriere _____

Ich möchte Karriere machen. _____

_____

der Kontakt, -e _____

Kontakt mit/zu Schulfreunden haben _____

_____

die Lehre, -n _____

eine Lehre machen _____

das Praktikum, Praktika _____

der Plan, Pläne _____

die Vorbereitung, -en _____

die Vorbereitung auf die Arbeitswelt _____

_____

die Zukunft (Singular) _____

Pläne für die Zukunft haben _____

ab|schließen _____

die Lehre abschließen _____

erwachsen sein _____

an der Universität

die Universität, -en (kurz: die Uni, -s) _____

das Seminar, -e _____

das Semester, – _____

der Professor, -en _____

die Professorin, -nen _____

die Vorlesung, -en _____

an der Uni Vorlesungen besuchen _____

_____

das Schulsystem

die Grundschule _____

die Hauptschule _____

die Realschule _____

die Gesamtschule _____

das Gymnasium _____

das Abitur _____

der Abschluss, Abschlüsse _____

das Internat, -e _____

Wo ist das?

hängen _____

Die Uhr hängt an der Wand. _____

_____

Ich hänge die Uhr an die Wand. _____

_____

liegen _____

Der Teppich liegt auf dem Boden. _____

_____

legen _____

Ich lege das Buch auf den Tisch. _____

_____

stehen _____

wichtig für mich

_____

_____

_____

Kennen Sie den Unterschied?

Wer zur Schule geht, ist ein _____ / eine _____.

Wer an der Uni studiert, ist ein _____ / eine _____.

Der Kaffee steht im Schrank. _____

_____

stellen _____

Ich stelle die Tasche auf den Boden. _____

_____

neu in der Stadt

die Ausstellung, -en _____

in eine Ausstellung gehen _____

der Besuch, -e _____

Besuch von den Eltern bekommen _____

_____

der Tipp, -s _____

aus|geben _____

nur wenig Geld ausgeben _____

günstig _____

andere wichtige Wörter und Wendungen

die Erinnerung, -en _____

auf|stehen _____

aus|schlafen _____

(sich) erinnern _____

(sich) wundern _____

Das wundert mich. _____

lustig _____

anders _____

Jetzt sehe ich das ganz anders. _____

_____

3 Medien im Alltag

1 a Sehen Sie das Bild an und ordnen Sie die Wörter zu.

Wortschatz

die CD / die DVD /
die CD-ROM

der Drucker

die Tastatur

das Handy

das Papier

das CD-/DVD-Laufwerk

der Lautsprecher

die Web-Cam

die Maus

das/der Tablet

der Computer

der Bildschirm

b Beschreiben Sie Ihren Computer. Verwenden Sie mindestens fünf Wörter aus 1a.

Ich habe kein Tablet, aber einen Computer. Die Tastatur von meinem Computer ist schwarz und ...

c Welches Wort passt zu welchem Symbol in der Tabelle? Ordnen Sie zu.

aus-/anmachen • surfen • kopieren • downloaden • suchen • senden • drucken • speichern • simsen

Pikto	Deutsch	Ihre Sprache	andere Sprache
1			
2			
3			
4			
5			
6			
7 www.langenscheidt.de			
8			
9			

d Welche Wörter kennen Sie aus Ihrer oder einer anderen Sprache? Notieren Sie in der Tabelle.

2

a Sie bekommen eine SMS von Petra – Sie kennen aber keine Petra. Was machen Sie? Wählen Sie eine SMS (1–3) oder schreiben Sie eine andere Antwort (4).

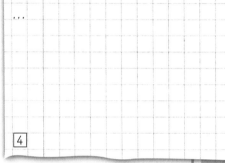

Hallo,
wann treffen wir uns morgen?
Um 20:00 am Kino oder schon
um 18:30 – zum Essen?
LG Petra

???
Wer bist du? Ich kenne dich nicht …

1

Um 18:30 vor der Pizzeria Italia. Bis morgen!

2

Habe eine SMS von dir bekommen. Die ist aber nicht für mich.

3

…

4

b Hören Sie. Was ist Jörg passiert? Beantworten Sie die Fragen.

1.16

1. Was ist das Lieblingsmedium von Jörg? _____

2. Warum ist das sein Lieblingsmedium? _____

3. Was denken Sie: Treffen sich Petra und Jörg? _____

c Hören Sie das Ende der Geschichte. Kennen Sie ähnliche Geschichten? Schreiben Sie einen kurzen Text.

1.17

3

a Sehen Sie den Cartoon an. Warum möchte der Junge ein Handy? Kreuzen Sie an.

a Er möchte mit Freunden telefonieren.

b Er möchte SMS schreiben.

c Er möchte Spiele spielen.

d Er möchte Melodien runterladen.

e Er möchte Filme machen und ansehen.

b Was denkt der Vater? Notieren Sie einen Satz.

_____

c Was machen Sie alles mit Ihrem Handy/Smartphone?

_____

Was ist besser?

4 **a** **Medienwelt. Notieren Sie zu den Adjektiven den Komparativ.**

1. alt	_älter_	5. lustig	_____	9. praktisch	_____
2. billig	_____	6. modern	_____	10. schön	_____
3. einfach	_____	7. neu	_____	11. schnell	_____
4. gut	_____	8. gern	_____	12. teuer	_____

> **Komparativ**
> Kurze Adjektive mit a, o, u → ä, ö, ü   **Achtung:**
> *alt – älter, groß – größer, kurz – kürzer*   *dunkel – dunkler*

b **Lesen Sie die Texte im Forum zum Thema E-Books. Ergänzen Sie Adjektive aus 4a im Komparativ (drei Adjektive bleiben übrig).**

123: Hallo, mein Freund hat nächste Woche Geburtstag. Ich schenke ihm vielleicht ein E-Book.

Was meint ihr: Ist das eine gute Idee? Oder soll ich ihm _l_____ (1) ein normales

Buch kaufen?

Rumpel: Super Idee! Schenk ihm ein E-Book. Das ist viel _p_____ (2).
Da hat er viele Bücher in einem kleinen Gerät dabei.

Lia: Ich weiß nicht. Ich finde ein Buch viel _s_____ (3). Ich weiß, ein E-Book ist

_m_____ (4), aber ich lese _l_____ (5) Bücher aus Papier und nicht auf

dem Bildschirm. Außerdem ist ein E-Book viel _t_____ (6) als ein Buch.

Rumpel: „Außerdem ist ein E-Book viel teurer als ein Buch."
Na ja, das stimmt nicht so ganz. Man muss nur einmal das Gerät kaufen, aber dann sind

die Bücher viel _b_____ (7) als echte Bücher. Und man bekommt sie viel

_s_____ (8).

Totter: E-Books sind doch viel _b_____ (9): Man kann in einem E-Book ganz einfach
Wörter suchen und finden. Das finde ich viel besser bei den E-Books. Kauf ihm ein E-Book.

c **Sehen Sie die Bilder an und vergleichen Sie.**

1

710,–   499,–

2

1949   2011

1. Der Laptop ist …

3

2,4 kg

NEWS

170 g

4

43 × 62 cm

19 × 24,3 cm

Das ist wichtig für mich

5

a **Was mögen Sie? Was ist wichtig für Sie? Schreiben Sie fünf Sätze mit _als_. Verwenden Sie die Adjektive _gern_, _oft_ und _selten_.**

1. online / im Kaufhaus einkaufen

   Ich kaufe lieber ... _____

2. Bücher / Zeitschriften lesen

   _____

3. unterwegs / zu Hause telefonieren

   _____

4. einen Film im Kino / zu Hause ansehen

   _____

5. ...

   _____

b **Vergleich mit _als_ oder _wie_? Ergänzen Sie.**

1. Laptop A ist genauso teuer

   _____ Laptop B.

2. Laptop B ist nicht so schwer

   _____ Laptop A.

3. Laptop B ist leichter

   _____ Laptop A.

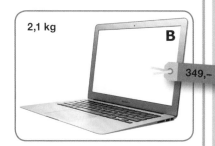

c **Telefonieren oder SMS schreiben? Ergänzen Sie _als_ oder _wie_.**

◇ Telefonieren mag ich viel lieber _____ (1) simsen.

◆ Ich finde simsen super. Das kostet nicht so viel Zeit _____ (2) telefonieren. Oft dauert telefonieren viel länger _____ (3) mailen oder simsen. Und: Mit meinem Handy ist simsen nicht so teuer _____ (4) telefonieren.

d **Früher und heute. Schreiben Sie drei Sätze mit _wie_ und zwei mit Komparativ + _als_.**

1. am Computer lernen   _Heute lerne ich mehr am Computer als früher. / Früher habe ich nicht_
   so viel am Computer gelernt wie heute.

2. zu Hause telefonieren _____

3. Freunde besuchen   _____

4. ins Kino gehen   _____

5. Briefe schreiben   _____

6. CDs kaufen   _____

6

a Aussprache: *b* oder *w*? Hören Sie und schreiben Sie die richtigen Namen.

🎧 1.18

1. Herr ___olling, 2. Thomas ___eiß, 3. Sandra ___auer, 4. Christiane ___eber, 5. Frau ___ersch

b Notieren Sie aus der Wortliste (im Kursbuch) 10 Wörter mit *b* oder *w* am Anfang. Diktieren Sie die Wörter einem Partner / einer Partnerin. Tauschen Sie dann die Rollen. Korrigieren Sie gemeinsam.

Meine Meinung ist ...

7

a Hören Sie die Radioumfrage zum Thema „Internet: Vor- und Nachteile". Ordnen Sie die Aussagen den Personen zu.

🔘 1.19

1 man kann Musik runterladen

2 mehr Kontakt zu Freunden haben

3 nützlich für die Arbeit sein

4 vieles ist uninteressant

5 ist schnell

6 bietet Informationen

7 man muss zum Arbeiten nicht ins Geschäft

8 man kann mit Freunden spielen

Lara Klein *2,*_____

Ferdinand Köster _____

Andreas Paulsen _____

Martha Fuchs _____

b Was meinen die Personen aus 7a? Formulieren Sie die Aussagen in ganzen Sätzen.

1. *Lara Klein sagt, dass sie im Internet mehr Kontakt zu Freunden hat. Sie findet, dass* _____ .

2. *Ferdinand Köster meint, dass* _____ .
   Er findet es gut, dass _____ .

3. *Andreas Paulsen ist froh, dass* _____ .
   _____ .

4. *Martha Fuchs findet, dass* _____ .
   _____ .

8

a Kombinieren Sie. Schreiben Sie sechs *dass*-Sätze.

> gut finden • sicher sein •
> glauben • hoffen •
> (nicht) denken • glücklich sein •
> (nicht) interessant finden •
> meinen

> Internet ist kostenlos • man kann überall online sein •
> am Abend ohne Internet sein • noch andere Hobbys haben •
> man kann mit Freunden im Ausland chatten •
> das Einkaufen ist billiger im Netz •
> viele Menschen sind auch ohne Internet glücklich

1. *Meine Schwester findet es gut, dass man mit Freunden im Ausland chatten kann.*

2. _____

3. _____

4. _____

5. _____

6. _____

7. _____

b Was denken Sie? Schreiben Sie Kommentare und verwenden Sie *dass*-Sätze.

1. „Chatten ist nur etwas für Jugendliche." *Ich finde, dass* _____

_____ .

2. „Im Internet findet man nur Unsinn." *Ich denke,* _____

_____ .

3. „Am Wochenende soll man den Computer nicht anmachen." *Ich* _____

_____ .

4. „Das Internet macht das Leben interessanter." _____

_____ .

Das mache ich am liebsten

9

a Was gehört zusammen? Notieren Sie die beiden Formen und ergänzen Sie die fehlende Form.

> billig • besser • schön • am größten •
> schlecht • dunkel • gern • am schönsten •
> am teuersten • viel • am meisten • schlechter •
> am besten • lieber • am billigsten • groß •
> teuer • am dunkelsten

> **Superlativ**
> Kurze Adjektive mit *a, o, u* mit Umlaut im
> Komparativ bilden auch den Superlativ mit
> Umlaut: *alt – älter – am ältesten*
> **Achtung:**
> *dunkel – dunkler – am dunkelsten*

billig – billiger – am billigsten   _____   _____

_____   _____   _____

_____   _____   _____

b Formulieren Sie Fragen mit Superlativ.

1. gut gefallen – Welche Musik *gefällt dir / Ihnen am besten?* _____

2. lustig sein – Welcher Film _____

3. interessant finden – Welches Buch _____

4. schwer sein – Welches Schulfach _____

5. spannend finden – Welchen Sport _____

6. gern mögen – Welche Schauspielerin _____

> **Superlativ mit -est**
> Kurze Adjektive und
> Adjektive mit Betonung am
> Ende, die auf **d/t**, **s/ss/ß**,
> **sk**, **x**, oder **z** enden:
> Superlativ mit -est →
> *am interessantesten,*
> *am süßesten, …*
> Ausnahme: *am größten*

c Suchen Sie eine Partnerin / einen Partner und beantworten Sie die Fragen aus 9b.

d Schreiben Sie zu jedem Bild einen Satz mit Superlativ.

1. schnell   2. teuer   3. schwierig   4. spannend

1. Dieser Mann war …

10 a Was für Berufe haben diese Personen?

1.

Roger Federer

PORTLERS

— — — — — — — —

2.

Sarah Connor

SÄNNGIRE

— — — — — — — —

3.

Anke Engelke

NIKEROMIK

— — — — — — — —

4.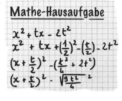

David Garrett

KERMUSI

— — — — — — — —

5.

Angela Merkel

KERNIPOLITI

— — — — — — — —

6.

Dieter Mayr

TOGRAFOF

— — — — — — — —

b **Lesen Sie das Star-Porträt über Michael Bully Herbig. Welche Berufe hatte und hat er? Benutzen Sie ein Wörterbuch.**

Starporträt Michael „Bully" Herbig

„Bully" Herbig, einer der bekanntesten Komiker Deutschlands

Michael „Bully" Herbig, geboren am 29. April 1968 in München, ist zurzeit der bekannteste Komiker Deutschlands.

Er arbeitet zuerst als Radiomoderator in München. 1997 wechselt Herbig zum Fernsehen. Dort ist er am Anfang Autor, Schauspieler, Regisseur und Produzent für die wöchentliche „Bullyparade", eine Parodie-Show. Dann setzt er seinen Erfolg im Kino fort. Er dreht den Film „Der Schuh des Manitu", eine Western-Parodie. Das Publikum ist begeistert und der Film wird ein großer Erfolg. Bully Herbig macht weiter mit Parodien von bekannten Filmen, zum Beispiel „(T)Raumschiff Surprise" (eine „Star-Trek"-Parodie) und „Lissy und der wilde Kaiser" (Parodie auf die berühmten Sissi-Filme). Er dreht außerdem mehrere Kinderfilme wie „Wickie und die starken Männer". In den Bavaria Filmstudios kann man die Kulissen sehen. Bully Herbig ist auch als Schauspieler in Filmen von anderen Regisseuren erfolgreich und er hat schon viele Preise bekommen.

Berufe:

_____

c **Lesen Sie den Text noch einmal. Richtig oder falsch? Kreuzen Sie an.**

	r	f
1. Bully Herbig ist für lustige Filme bekannt.	☐	☐
2. Bully Herbig hat seine Karriere beim Radio begonnen.	☐	☐
3. Im Fernsehen hat Bully Herbig nur als Schauspieler gearbeitet.	☐	☐
4. Der Film „Der Schuh des Manitu" war sehr erfolgreich.	☐	☐
5. Bully Herbig hat nur einen Kinderfilm gedreht.	☐	☐
6. Bully Herbig spielt nur in seinen eigenen Filmen.	☐	☐

Kino! Kino!

11 a **Welche Wörter zum Thema „Film" kennen Sie schon? Sammeln Sie.**

Filmtyp	Wie sind Filme?	Berufe beim Film	Was braucht man?
Thriller	spannend	der Regisseur	Fotoapparat

b Drei Freunde erzählen von ihren Lieblingsfilmen. Was für Filme sehen sie am liebsten?

die Komödie • der Thriller • die Romanze • der Fantasy-Film • der Actionfilm

Peter
Ich sehe am liebsten spannende Filme mit viel Action – und das Tempo muss auch stimmen. Die Schauspieler und die Geschichte sind für mich nicht so wichtig.

_____

Nadja
Für mich darf es gern etwas mit Herz und Liebe sein. Das Leben ist schon stressig genug, da möchte ich im Kino träumen können. Dazu gehört auch immer ein Happy-End, dann bin ich glücklich.

_____

Aila
Im Kino will ich alles vergessen. Ich brauche spannende Filme mit einer guten Geschichte. Deshalb müssen die Schauspieler auch sehr gut sein, denn der Film soll real wirken.

_____

c Mögen Sie Filme? Wenn ja, welche? Wenn nein, warum nicht? Schreiben Sie einen kurzen Text wie in 11b.

12 a Peter erzählt von vier Filmen. Wie haben ihm die Filme gefallen? Notieren Sie.

1.20–23

Film 1   ☺ ☺ _____

Film 2   _____ _____

Film 3   _____ _____

Film 4   _____ _____

Gesten und Körpersprache D-A-CH: ☺ ☺   ☹ !

b Hören Sie noch einmal und notieren Sie in 12a die Hauptgründe für Peters Meinung.

1.20–23

13 Lesen Sie die Beschreibungen von Filmen aus der Schweiz und aus Deutschland. Benutzen Sie ein Wörterbuch. Welchen Film möchten Sie gern sehen? Schreiben Sie zu jedem Film einen Satz.

Eine Schweizer Beamtin trifft ihre Jugendliebe wieder, einen Musiker. Sie erinnern sich an die alte Zeit und verlieben sich neu. Ein Film mit viel Humor, Musik und natürlich auch Liebe. Die Schauspieler sind sehr sympathisch.

Ein Film über ein Experiment an einer Schule. Ein Lehrer zeigt, dass ein autoritäres System auch heute funktionieren kann. Sehr spannend und schockierend. Die Schauspieler spielen sehr „echt", man glaubt ihnen alles.

Der Taxifahrer Hartmut trifft die 6-jährige Türkin Hayat. Sie ist allein in der Stadt und spricht kein Deutsch. Zuerst will er ihr nicht helfen, aber allein lassen kann er sie auch nicht. Der Film ist gleichzeitig lustig und traurig.

Am liebsten möchte ich ..., weil ... Ich möchte lieber ... sehen als ..., weil ...

Das kann ich nach Kapitel 3

R1 Was machen Sie lieber? Was ist besser? Nennen Sie Vor- und Nachteile.

> Ein Fotoapparat ist schwerer als ein Handy. Aber …

		☺☺	☺	☺	☹	KB	AB
✐	Ich kann Vor- und Nachteile nennen.	☐	☐	☐	☐	4c, d	4c, 5b, c

R2 Wie finden die Personen Actionfilme? Toll ☺, ok ☺ oder blöd ☹?

1 Ich gehe oft ins Kino und letzte Woche habe ich mir diesen Actionfilm angesehen. Alle waren begeistert, nur ich nicht. Der Film war nicht schlecht, aber oft möchte ich solche Filme nicht sehen.

_____

2 Diesen Film habe ich am Wochenende gesehen und ich habe mich geärgert. Nicht logisch und deshalb langweilig – wie meistens bei Actionfilmen. Beim nächsten Mal suche ich mir den Film besser aus.

_____

3 Ein typischer Actionfilm … und deshalb schön entspannend. Im Kino sitzen und an nichts denken, das kann ich nur bei Actionfilmen. Für mich war der Film genau richtig!

_____

		☺☺	☺	☺	☹	KB	AB
📖	Ich kann die Hauptaussagen von Kommentaren zu Filmen und Filmbeschreibungen verstehen.	☐	☐	☐	☐	12a, b, 13c	11b, 12, 13

R3 Notieren Sie zu den Stichpunkten fünf Fragen und machen Sie ein Interview mit einem Partner / einer Partnerin.

> Freizeit • Beruf • Musik • Essen • Film

		☺☺	☺	☺	☹	KB	AB
💬	Ich kann ein Interview zu Alltagsthemen machen.	☐	☐	☐	☐	10	9b, c

Außerdem kann ich	☺☺	☺	☺	☹	**KB**	**AB**
🎧 … Gespräche über Mediennutzung verstehen.	☐	☐	☐	☐	2a, 4b	
🎧 … Umfragen und Interviews verstehen.	☐	☐	☐	☐	5a, b, 9a, b	7a
💬✐ … über Medienverhalten sprechen und schreiben.	☐	☐	☐	☐	2b, c	1b, 3c
💬✐ … die eigene Meinung ausdrücken.	☐	☐	☐	☐	8	8b, 13
💬✐ … über Vorlieben sprechen und schreiben.	☐	☐	☐	☐		5a, d, 9b
💬 … über Filme sprechen.	☐	☐	☐	☐	11	11a
📖 … Forumsbeiträge zum Thema E-Books verstehen.	☐	☐	☐	☐		4b
📖 … Leserbriefe zum Thema Internet verstehen.	☐	☐	☐	☐	7a	
📖 … ein Starporträt verstehen.	☐	☐	☐	☐		10b
✐ … einen Kommentar zu Filmen schreiben.	☐	☐	☐	☐	13b	11c

Lernwortschatz Kapitel 3

rund um den Computer

der Bildschirm, -e _____

die CD-ROM, -s _____

der Drucker, – _____

das Laufwerk, -e _____

das CD-/DVD-Laufwerk, -e _____

der Lautsprecher, – _____

die Maus, Mäuse _____

das/der Tablet, -s _____

die Tastatur, -en _____

die Web-Cam, -s _____

an sein _____

Der Lautsprecher ist an. _____

_____

an|klicken _____

die Dateien anklicken _____

an|machen _____

aus|machen _____

bloggen _____

checken _____

E-Mails checken _____

downloaden (= runter|laden) _____

Musik runterladen/downloaden _____

_____

drucken _____

kopieren _____

online sein _____

recherchieren _____

Informationen recherchieren _____

_____

senden _____

skypen _____

speichern _____

andere Medien

die Medien (Plural) _____

das E-Book, -s _____

das Fernsehgerät, -e _____

das Smartphone, -s _____

der MP4-Player, – _____

der I-Pod, -s _____

die Spielekonsole, -n _____

fern|sehen _____

das Radio, -s _____

Radio hören _____

simsen _____

twittern _____

Kino und Filme

der Actionfilm, -e _____

der Fantasy-Film, -e _____

die Komödie, -n _____

der Regisseur, -e _____

die Romanze, -n _____

der Schauspieler, – _____

die Schauspielerin, -nen _____

der Thriller, – _____

das Video, -s _____

der Zuschauer, – _____

realistisch _____

spannend _____

andere wichtige Wörter und Wendungen

der Ausländer, – _____

der Fotograf, -en _____

die Fotografin, -nen _____

die Heimat (Singular) _____

der Konflikt, -e _____

die Lösung, -en _____

das Papier, -e _____

das Produkt, -e _____

die Umfrage, -n _____

das Vorurteil, -e _____

auf|passen _____

lachen _____

weinen _____

Zeit verbringen _____

fremd _____

gefährlich _____

neugierig _____

nützlich _____

praktisch _____

selten _____

sympathisch _____

vorsichtig _____

bisschen _____

ein bisschen vorsichtig sein _____

_____

genauso … wie _____

überall _____

zurzeit _____

Zurzeit chatte ich viel. _____

_____

wichtig für mich

_____

_____

_____

Was ist das? Notieren Sie.

der _____   _____   _____

_____   _____   _____

Was kann man damit machen? Notieren Sie möglichst viele Verben.

einen Computer   *anmachen,* _____

ein Dokument   _____

einen Film   _____

Prüfungstraining A2

In diesen Plattformkapiteln bereiten Sie sich auf A2-Prüfungen vor. Sie trainieren Prüfungen am Beispiel der Prüfung *Start Deutsch 2*. Die Prüfung besteht aus vier Teilen: Lesen, Hören, Schreiben und Sprechen. Lesen, Hören und Schreiben machen Sie allein, beim Sprechen arbeiten Sie zu zweit.

Die Prüfungsteile

	Training in Plattform
Hören	
Teil 1: Sie hören 5 Ansagen am Telefon.	1
Teil 2: Sie hören 5 Informationen aus dem Radio.	2
Teil 3: Sie hören ein Gespräch.	3
Lesen	
Teil 1: Sie lesen Informationen auf einer Informationstafel.	1
Teil 2: Sie lesen einen Zeitungstext.	2
Teil 3: Sie lesen Kleinanzeigen.	4
Schreiben	
Teil 1: Sie füllen ein Formular aus.	2
Teil 2: Sie schreiben eine Mitteilung.	3
Sprechen	
Teil 1: Sie stellen sich vor.	1
Teil 2: Sie führen ein Alltagsgespräch.	3
Teil 3: Sie handeln etwas aus.	4

Hören: Teil 1 – Ansagen am Telefon verstehen

1 **Was können Sie schon? Kreuzen Sie an:**

Ich kann …

☐ … Informationen über Uhrzeiten und Wochentage verstehen.

☐ … Preisangaben verstehen.

☐ … einfache Informationen über Treffpunkte und Orte verstehen.

☐ … Telefonnummern und Adressen verstehen.

> Sie hören in der Prüfung (Hören: Teil 1) fünf Nachrichten auf dem Anrufbeantworter.
> Zu jeder Nachricht gibt es einen Notizzettel. Sie ergänzen die fehlende Information.

2 **Informationen auf Notizzetteln ergänzen. Lesen Sie die Notizzettel in Aufgabe 3. Was sollen Sie ergänzen? Notieren Sie die passende Nummer.**

Die Informationen, die Sie ergänzen müssen, können zum Beispiel folgende sein:

Uhrzeiten _____   Wochentage _____   Monate _____   Treffpunkte _____

Telefonnummern _O_   Preise _____   Dinge zum Kaufen _____   Dinge zum Mitbringen _____

> **Notizzettel genau lesen**
> Lesen Sie die Notizzettel sehr genau und überlegen Sie, welche Information Sie ergänzen sollen.
> Beim zweiten Hören können Sie noch korrigieren.

3 Die Prüfungsaufgabe

Teil 1

Sie hören fünf Ansagen am Telefon. Zu jedem Text gibt es eine Aufgabe.
Ergänzen Sie die Telefonnotizen. Sie hören jeden Text zweimal.

Beispiel

0

⊙ 1.24

Praxis Dr. Weiß

neuer Termin

Telefonnummer: _89 45 303_

3

⊙ 1.27

Verabredung mit Simon

Treffen im:

_____

1

⊙ 1.25

Olaf

Party am Samstag

mitbringen:

_____

4

⊙ 1.28

Foto-Workshop

Preis:

_____

2

⊙ 1.26

Herr Kanter

Treffen mit Kunden aus Norwegen

neue Uhrzeit:

_____

5

⊙ 1.29

Café Zentral

für Moni arbeiten am:

_____

Lesen: Teil 1 – Infotafeln verstehen

4 **Was können Sie schon? Kreuzen Sie an:**

Ich kann ...

☐ ... Listen und Hinweisschildern zu vertrauten Themen bestimmte Informationen entnehmen.

☐ ... Ortsangaben verstehen.

☐ ... häufige Schilder und Aufschriften verstehen.

> Sie lesen in der Prüfung (Lesen: Teil 1) einen Listentext, z.B. eine Infotafel in einem Kaufhaus oder eine Übersicht über touristische Angebote usw. Hierzu gibt es fünf Aufgaben. Sie sollen bestimmte Informationen in der Liste finden.

5 **Lesen Sie die Situation genau. Überlegen Sie: Nach welchen Wörtern suchen Sie in dieser Situation auf einer Hinweistafel? Notieren Sie.**

Sie gehen zu einer Messe über neue Medien. Sie suchen Informationen über E-Books. Wohin gehen Sie?

Bücher, Reader, elektronisch, ...

> **Antwort-Möglichkeiten genau lesen**
> Lesen Sie Antwort a. Richtig? Wenn nicht, prüfen Sie Antwort b. Richtig? → fertig, nicht richtig? → Kreuzen Sie Antwort c an.

6 **Die Prüfungsaufgabe**

> Lesen Sie die Aufgaben 1–5 und die Informationen am Eingang der Messe für neue Medien. Wohin gehen Sie?
>
> Kreuzen Sie an: a, b oder c.
>
> Beispiel
>
> **0** **Sie suchen Informationen über E-Books. Wohin gehen Sie?**
> ☒ Halle A
> ☐ Halle D
> ☐ andere Halle
>
> **3** **Sie suchen ein Lernprogramm für Ihren 12-jährigen Sohn.**
> ☐ Halle A
> ☐ Halle E
> ☐ andere Halle
>
> **1** **Sie möchten Ihrer Großmutter ein einfaches Handy schenken.**
> ☐ Halle C
> ☐ Halle E
> ☐ andere Halle
>
> **4** **Sie haben sich an einer Tür den Finger verletzt. Sie brauchen ein Pflaster.**
> ☐ Halle A
> ☐ Halle B
> ☐ andere Halle
>
> **2** **Sie möchten etwas trinken und einen Kuchen essen.**
> ☐ Halle D
> ☐ Halle E
> ☐ andere Halle
>
> **5** **Sie sind müde und möchten zur U-Bahn gehen.**
> ☐ Halle B
> ☐ Halle C
> ☐ andere Halle

Neue Medien
Informationen zur Ausstellung

Halle A Erdgeschoss	Fernseher: LCD, 3D | Heimkino-Lösungen | Beamer | E-Reader und E-Books | Software für Filmfans | Sound-Systeme | alles für das Heim-Kino | Wandfarben, Rollos und Vorhänge
Halle B Erdgeschoss	mobile Navigationsgeräte | Smartphones | Spiele für Computer und Smartphones | Apps | Zubehör Restaurant „Cyber" – Pizza und Pasta | Fundbüro Ausgang zu Taxi und Bus/Tram-Bahn
Halle C Erdgeschoss	Internet der Zukunft | Soziale Netzwerke Erste Hilfe für den Computer | Sicherheit im Internet | Anti-Virus Software Lernsoftware | Software für Graphik und Design Aufzug | Notarzt & Erste Hilfe | Ausgang zur U-Bahnstation Messe
Halle D 1. Stock	Computer | Laptops | Netbooks | Tablets Drucker | Scanner Cloud-Solutions | Datensicherung Spielzimmer | Café „Intermezzo" | Telefon | Toiletten
Halle E 1. Stock	Neue Medien für Senioren | Neue Medien für die Kleinsten | Spiele für zu Hause und für unterwegs | Spielekonsolen | Ver- und Entsorgung, Umweltschutz | Green IT Getränkeautomat

Sprechen: Teil 1 – Sich vorstellen

7

a Was können Sie schon? Kreuzen Sie an.

Ich kann ...

☐ ... wichtige Informationen über mich geben.   ☐ ... persönliche Fragen stellen.

In der Prüfung (Sprechen: Teil 1) stellen Sie sich mit mindestens sechs Sätzen vor. Sie müssen aber nicht zu allen Stichwörtern etwas sagen. Der Prüfer stellt Ihnen anschließend zwei zusätzliche Fragen.

Name?
Alter?
Land?
Wohnort?
Sprachen?
Beruf?
Hobby?

sich vorstellen
Dieser Teil der Prüfung ist immer gleich. Sie können diesen Teil also gut vorher mit anderen Personen üben.

b Notieren Sie zu jedem Stichwort einen passenden Satz. Lesen Sie die Sätze mehrmals laut.

c Arbeiten Sie zu zweit. Stellen Sie sich abwechselnd vor, ohne die Notizen aus 7b zu lesen. Stellen Sie Ihrem Partner / Ihrer Partnerin zwei Zusatzfragen, z.B. „In welcher Straße wohnen Sie?" oder „Bei welcher Firma arbeiten Sie?"

4 Große und kleine Gefühle

1

a Lesen Sie die Texte im Forum und ordnen Sie die Überschriften zu.

> Hochzeit im Sommer • Endlich mobil! • Hannas erster Schultag • Tim ist da! •
> Hartes Training lohnt sich doch ;-) • Firmenjubiläum • Mein Schulabschluss

ben21 Hallo, ich habe mal eine Frage: Was hat euch letztes Jahr besonders gefreut? Was war besonders schön? Erzählt doch mal!

Jasper _____

Das war mein tollster Tag: Zuerst hat der Direktor am Vormittag jedem Schüler sein Zeugnis gegeben und allen gratuliert. Am Abend haben wir dann mit Eltern und Lehrern einen Abschlussball gemacht. Fast alle Schüler haben sich festlich angezogen, die Jungen einen Anzug und die Mädchen ein Kleid. Ein paar Schüler haben kurze Parodien über unsere Schulzeit aufgeführt, sehr lustig. Wir hatten auch eine Band und haben viel getanzt. Diesen Tag werde ich nie vergessen!

Otto _____

Im Sommer bin ich einen Marathon gelaufen. Ich konnte es nicht glauben, aber ich bin Dritter geworden und habe eine Medaille bekommen. Da war ich wirklich glücklich. Nächstes Jahr versuche ich es wieder. Vielleicht werde ich dann Erster ☺.

Belle _____

Meine Schwester hat im Juli geheiratet. Das war schön! Wir waren in der Kirche und dann haben wir in einem Restaurant bis spät in die Nacht gegessen, getanzt und gefeiert. Die ganze Familie war da und viele Freunde, ungefähr 80 Leute. Julia und Thorsten haben viele Geschenke bekommen und sind am nächsten Tag gleich in Urlaub gefahren.

Moni _____

Im April ist unser Sohn auf die Welt gekommen. Wir sind aus dem Krankenhaus gekommen und zu Hause hat eine Überraschung gewartet: Unsere Freunde hatten unser Haus dekoriert, sie haben vor dem Haus eine Wäscheleine mit Babykleidung aufgehängt. Für mich war diese Tradition ganz neu. Die Freunde begrüßen das Kind und alle Nachbarn sehen auch, dass das Baby da ist.

Xana _____

Tja, letztes Jahr sind viele schöne Sachen passiert, aber besonders toll war, dass ich meinen Führerschein gemacht habe und jetzt endlich Auto fahren darf! Ich wohne auf dem Land und da bedeutet der Führerschein Freiheit. Jetzt will ich noch viel arbeiten, dann kann ich auch ein Auto kaufen. Bis dahin muss ich immer meine Mutter fragen ☹.

Tanne _____

Im September ist meine Tochter in die Schule gekommen. Das ist natürlich ein Ereignis! Im Kindergarten hat sie eine Schultüte gemacht und wir haben sie mit Süßigkeiten und Geschenken gefüllt. Um neun Uhr mussten wir mit der Schultüte in der Schule sein, das war sehr spannend: welche Klasse, welche Lehrerin? Nach zwei Stunden war der erste Schultag zu Ende und wir sind mit den Großeltern in ein Restaurant gegangen.

SaBi _____

Ich arbeite schon sehr lange in meiner Firma. Letztes Jahr waren es 25 Jahre, unglaublich! Meine Kollegen und mein Chef haben eine kleine Feier im Büro organisiert. Ich habe mich gefreut, dass sie es nicht vergessen haben. Wir haben Kuchen gegessen und Kaffee getrunken. Schön waren auch die vielen Blumen! ☺

b **Lesen Sie die Beiträge noch einmal. Richtig oder falsch? Kreuzen Sie an.**

r   f

1. Am letzten Schultag haben *Jasper* und seine Mitschüler einen Ball gemacht. ☐ ☐
2. *Otto* möchte noch einmal einen Marathon laufen. ☐ ☐
3. Die Hochzeit von *Belles* Schwester hat mehrere Tage gedauert. ☐ ☐
4. Vor der Geburt von ihrem Kind hat *Moni* ihr Haus schön dekoriert. ☐ ☐
5. *Xana* hat sich nach der Führerscheinprüfung ein Auto gekauft. ☐ ☐
6. *Tanne* hat die Einschulung von ihrer Tochter auch mit den Großeltern gefeiert. ☐ ☐
7. Der Chef und die Kollegen von *SaBi* haben eine schöne Feier vorbereitet. ☐ ☐

2

a **Feste feiern. Bilden Sie acht passende Verben.**

ken • gen • zen • chen • ~~sen~~ • ken • ern • la • fei • den • ein • trin • tan • ~~es~~ • sin • schen • la

essen, _____

b **Wählen Sie fünf Verben aus 2a und beschreiben Sie ein Fest oder ein wichtiges Ereignis.**

Wenn ich ... feiere, ... _____

_____

_____

_____

_____

Herzlichen Glückwunsch

3

a **Was passt wo? Lesen Sie die Mails und ergänzen Sie.**

gratulieren • eine schöne Feier • Für die Zukunft • alles Gute • herzlichen Dank • Hochzeit

---

◉ ◯ ◯

Liebe Sonja,

_____ für die Einladung zu deinem Geburtstag. Leider kann ich nicht kommen,

weil ich an diesem Wochenende arbeiten muss. Ich wünsche dir _____ zu deinem

Geburtstag und _____ .

Bis bald! Henry

◉ ◯ ◯

Liebe Julia, lieber Thorsten,

wir _____ euch herzlich zu eurer _____ !

_____ wünschen wir euch alles Glück der Welt.

Herzliche Grüße von Lena und Lars

---

b **Lesen Sie die E-Mail und hören Sie die Nachrichten auf der Mailbox. Ergänzen Sie die Notizzettel mit den wichtigsten Informationen in Stichworten.**

1.30–33

Liebe Freunde,
ich werde 25 und das möchte ich mit euch feiern!
Wann: Samstag, 11.08., 20 Uhr
Wo: Café Schnitt
Geht das bei euch? Bitte um Antwort bis 05.08. (Telefon oder Mail).
Liebe Grüße   Sonja

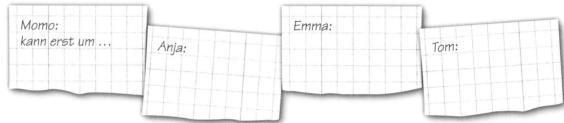

Momo:
kann erst um ...

Anja:

Emma:

Tom:

c **Schreiben Sie Sonja eine E-Mail. Bedanken Sie sich für die Einladung und schreiben Sie, dass Sie kommen können.**

Emotionen

4 **a** **Emotionen: positiv oder negativ? Ordnen Sie zu und ergänzen Sie dann die Dialoge.**

> sich freuen • Angst haben • nervös sein • traurig sein • etwas schön finden •
> sich ärgern • etwas schade finden • auf jemanden böse sein • glücklich sein •
> etwas aufregend finden • unglücklich sein • etwas wunderbar finden

☺	☹

◆ Na, wie geht's?
◆ Geht so. Ich habe gleich eine Präsentation vor 20 Leuten

und bin schrecklich (1) _____.
◆ Oh, das verstehe ich, aber das schaffst du schon.
Aber sag mal, wie geht es denn Fiona?

◆ Gut! Fiona ist sehr (2) _____.
Sie hat letzte Woche geheiratet.
◆ Ach, stimmt ja. Und wie geht es Gabriel?
◆ Na ja, seine Freundin ist gestern nach Australien

geflogen und jetzt ist er natürlich (3) _____. Aber wie geht es dir denn?

◆ Nicht so gut. Heute Nachmittag muss ich zum Zahnarzt und ich (4) _____!
◆ Du Arme!

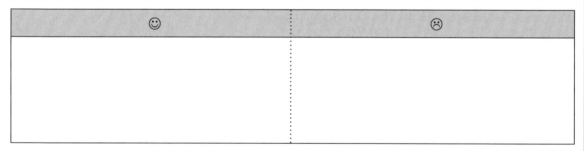

b Was ist Glück? Lesen Sie die Texte und ordnen Sie zu.

Ralf

Nach der Arbeit gehe ich lange mit meinen Hunden durch den Park. Das macht mich glücklich. Am Wochenende kommen meine Kinder nach Hause und die ganze Familie isst gemeinsam und erzählt. Das bedeutet für mich Glück.

Lena

Meine Arbeit macht Spaß, auch wenn es oft stressig ist. Aber ich bin auch glücklich, wenn ich etwas mit Freunden mache oder neue Schuhe kaufe ;-).
Und am schönsten ist es, wenn ich einfach Zeit habe!

Maria

Die kleinen Dinge machen mich glücklich: gut essen, einen Film sehen, bei Regen auf dem Sofa lesen. Wenn die Sonne scheint, gehe ich gern schwimmen und wandere in der Natur. Es ist wichtig, dass man sich über kleine Sachen freuen kann.

1 _____ Ralf ist glücklich,

2 _____ Lena freut sich,

3 _____ Für Maria bedeutet Glück,

4 _____ Wenn die Familie zusammen ist,

5 _____ Wenn sie Freunde trifft,

A dass sie sich nicht nur über große Dinge freut.

B wenn er spazieren geht.

C ist Lena glücklich.

D dann freut sich Ralf.

E wenn sie nichts machen muss.

c Und wann sind Sie glücklich? Schreiben Sie einen kurzen Text wie in 4b.

> *Ich bin glücklich, wenn ich in den Bergen bin und ...*

d Nebensatz mit *wenn*. Schreiben Sie Sätze.

1. Zeit haben – ins Kino gehen

   Wenn ich Zeit habe, gehe ich ins Kino.

2. sich freuen – eine Freundin mitkommen

   Ich

3. der Film schlecht sein – sich ärgern

   Wenn

4. nach dem Film ins Café gehen – nicht zu müde sein

   Ich

5. nicht regnen – mit dem Rad nach Hause fahren

   Wenn

e Viele Fragen. Antworten Sie mit *wenn*.

1. Lernen wir heute Nachmittag zusammen?
   (meiner Mutter nicht helfen müssen)

   Ja, wenn ich meiner Mutter nicht helfen muss.

2. Rufst du mich später an? (zu Hause sein)

   _____

3. Gehen wir am Samstag zusammen aus?
   (nicht arbeiten müssen)

   _____

4. Holst du mich vom Bahnhof ab? (das Auto von Tom haben können)

   _____

5

a *weil*, *dass* oder *wenn*? Ergänzen Sie.

1. Felix sagt, _____ er nie Angst hat.

2. Ich bin sauer, _____ Mira meinen Schlüssel verloren hat.

3. _____ ich traurig bin, spreche ich immer lange mit meiner Freundin.

4. Ich bin traurig, _____ Felix mich gestern nicht angerufen hat.

5. Mira hofft, _____ sie die Prüfung besteht.

6. Was machst du, _____ du Geburtstag hast?

b Schreiben Sie die Sätze zu Ende.

1. *Ich bin müde, weil* _____

2. *Ich hoffe, dass* _____

3. *Ich freue mich, wenn* _____

Norddeutsche Feste

6

a Die Kieler Woche oder das Rock-Festival? Warum möchten Sie diese Veranstaltungen besuchen? Schreiben Sie fünf Sätze mit *weil*.

Kieler Woche	Rock-Festival
bei der Segelregatta zusehen möchten • die Stadt ansehen können • im Hafen Partys feiern können • ~~Segelschiffe gefallen mir~~ • gern Spezialitäten probieren	die Atmosphäre von Festivals mögen • gern mit Musikfans feiern • verschiedene Bands hören können • gern neue Bands hören • Rockkonzerte mögen

1. Ich finde *die Kieler Woche* besser, weil *mir Segelschiffe gefallen.*

2. Mir gefällt *das Rock-Festival* besser, weil _____

3. Ich fahre lieber zur/zum _____, weil _____

4. _____ ist für mich interessanter, weil _____

5. Ich wähle _____, weil _____

b Markieren Sie die Adjektive in den Sätzen. Ergänzen Sie die Adjektivendungen in der Tabelle.

1. Hast du das alte Schiff gesehen?
2. Ich möchte einmal mit dem alten Schiff fahren.
3. 2000 Segelschiffe haben in dem großen Hafen Platz.
4. Machst du auch eine Rundfahrt durch den großen Hafen?
5. Auf den tollen Partys feiern Gäste und Sportler.
6. Die Gäste besuchen gern die tollen Partys.
7. Sportler aus der ganzen Welt kommen zur Kieler Woche.
8. Vom Kieler Hafen fahren Schiffe in die ganze Welt.

> **Adjektivendungen**
> Nach dem bestimmten Artikel gibt
> es nur zwei Endungen, *-e* und *-en*.
> Adjektive haben im Dativ immer die
> Endung *-en*.

	maskulin	neutrum	feminin	Plural
Nominativ	der große Hafen	das alte Schiff	die ganze Welt	die tollen Partys
Akkusativ	den groß___ Hafen	das alt_e_ Schiff	die ganz___ Welt	die toll___ Partys
Dativ	dem groß___ Hafen	dem alt___ Schiff	der ganz___ Welt	den toll___ Partys

c Welche Adjektivform ist richtig? Kreuzen Sie an.

1. Die schöne ☐ schönen ☐ Altstadt von Kiel liegt nahe bei dem internationale ☐ internationalen ☐

Hafen. 2. Im Zentrum ist der alte ☐ alten ☐ Markt. 3. Besuchen Sie auch die bekannte ☐ bekannten ☐

Nikolaikirche. 4. Im interessante ☐ interessanten ☐ Stadtmuseum finden Sie Informationen zur Geschichte

von Kiel. 5. Die gemütliche ☐ gemütlichen ☐ Lokale im Zentrum laden die hungrige ☐ die hungrigen ☐

Touristen ein. 6. Möchten Sie shoppen gehen? In den große ☐ großen ☐ Kaufhäusern in der Holsten-

straße finden Sie alles. 7. Überraschungen gibt es in den kleine ☐ kleinen ☐ Geschäften.

7 Ein Fest – zwei Meinungen. Beschreiben Sie das Fest. Drücken Sie mit den Adjektiven aus dem Kasten zwei verschiedene Meinungen aus.

> bekannt • schrecklich • blöd • lecker •
> wunderbar • teuer • langweilig • schlecht •
> komisch • billig • toll • interessant • laut

Home	Blog

In Emden feiert man im Juni die Matjes-
Tage. Bei dem ___wunderbaren___ (1) Fest
geht es um Fische (Heringe). Alle Besucher
essen die _____ (2) Fische.
Und man kann die _____ (3)
Speisen aus der Region genießen. Man
kann auch die _____ (4)
Schiffe im Hafen ansehen.

Kommentar

Home	Blog

Matjes-Tage in Emden. Einmal ist genug! Bei
dem ___langweiligen___ (5) Fest geht es
um Fische (Heringe). Aber sie schmecken
nicht gut, sie riechen _____ (6).
Ich mag auch nicht zu den
_____ (7) Schiffen im Hafen
gehen. Und das _____ (8)
Konzert hat auch keinen Spaß gemacht.

Kommentar

8

a Ein Freund / Eine Freundin erzählt. Sie hören ihm/ihr zu und reagieren. Welche Ausdrücke passen? Kreuzen Sie an.

1. *Ich war auf einem Fest. Da habe ich einen Schulfreund getroffen. Wir haben uns 10 Jahre lang nicht gesehen.*

  ☐ a Das macht doch nichts.
  ☐ b Was für eine Überraschung!
  ☐ c Das ist mir aber peinlich!

2. *Ich bin im Zug gefahren. Eine Flasche Wasser ist auf den Laptop gefallen. Alles war nass, aber der Laptop war nicht kaputt.*

  ☐ a So ein Pech.
  ☐ b Das tut mir leid.
  ☐ c Da hast du aber Glück gehabt!

3. *Du hattest doch gestern Geburtstag. Und ich habe dich nicht angerufen. Entschuldige bitte.*

  ☐ a Da freue ich mich sehr.
  ☐ b Du hast recht.
  ☐ c Das macht doch nichts.

b Ergänzen Sie die Lücken. Achten Sie bei Verben auf die richtige Form.

◆ Hallo Hannes!

◆ Hi Anja. Du, ich will dich was _fragen_ (1).

◆ Was gibt's?

◆ Fährst du mit _____ (2) Sevilla?

◆ Wie bitte? Ich habe kein Geld für eine _____ (3). Das weißt du doch.

◆ Du brauchst kein _____ (4), nur Zeit.
  Ich habe eine Reise für zwei Personen _____ (5).

◆ Das gibt's doch nicht! So ein _____ (6)!

◆ Ja, ich habe beim Stadtfest fünf Lose _____ (7),
  zwei Euro pro Stück. Und jetzt fahren wir zwei nach Sevilla.
  Nicht schlecht, oder?

◆ Mensch, das ist ja super!
  Und _____ (8) geht es los?

◆ Das weiß ich noch nicht. Es gibt, glaube ich, drei _____ (9)
  und wir können wählen.

◆ Wie lange _____ (10) wir denn in Sevilla?

◆ Vier Tage, von Donnerstag bis _____ (11)?
  Ist doch nicht schlecht?

◆ Ach, das ist toll. Ich _____ (12) mich so ...

fragen • freuen • Geld • gewinnen • Glück • kaufen • nach • Reise • bleiben • Sonntag • wann • Termine

c Hören und kontrollieren Sie.
1.34

9

a Wie klingen die Sätze? Hören Sie und notieren Sie.

1.35

1. Ich hab' keine Zeit.
2. Weißt du, wie spät es ist?
3. Das weiß ich nicht.
4. Ich komme gleich.
5. Das geht nicht.
6. Es regnet.
7. Ich bin am Samstag nicht da.
8. Das ist ja toll.

fröhlich: _____   traurig: _____   ärgerlich: _____   gestresst: _____

b Hören Sie noch einmal. Sprechen Sie nach.

1.35

c Arbeiten Sie zu zweit. Sprechen Sie die Sätze fröhlich, traurig, ärgerlich oder gestresst. Ihr Partner / Ihre Partnerin sagt, wie Sie gesprochen haben.

Morgen ist die Party von Ben.   Ich habe keine Zeit.   Das ist aber schön.
Peer hatte großes Glück.   Das war sehr peinlich.   Carmen freut sich sehr.

Ende Anfang

10

a Wie ist das Lied „Ende Anfang"? Notieren Sie die Wörter in Ihrer Sprache. Welche anderen Sprachen sind ähnlich? Markieren Sie.

Deutsch	Englisch	Spanisch	Polnisch	meine Sprache
poetisch	poetic	poético	poetycznie	
klassisch	classical	clásico	klasycznie	
melancholisch	melancholic	melancólico	melancholijnie	
romantisch	romantic	romántico	romantycznie	
originell	original/witty	original	oryginalnie	

b An welche Lieder oder Musiker denken Sie? Notieren Sie.

Meine Musik, meine Lieder

Ich finde dieses Lied so schön, mein Lieblingslied: _____

Ich finde den Text von diesem Lied sehr gut: _____

Ich finde, dieses Lied ist besonders poetisch: _____

Ich finde, diese Musik klingt sehr romantisch: _____

Die Musik von dieser Band ist sehr originell: _____

Zu diesem Lied kann man sehr gut tanzen: _____

Diese Musik höre ich, wenn ich traurig bin: _____

Das ist mein Gute-Laune-Lied: _____

Die Stimme von diesem Sänger / von dieser
Sängerin gefällt mir besonders gut: _____

c Vergleichen Sie mit Ihrem Partner / Ihrer Partnerin.

11 Lesen Sie die Blogeinträge im Kursbuch 11a noch einmal. Was passt zusammen? Ordnen Sie zu.

1 _D_ Carmen ist Deutschlehrerin und findet

2 ____ Wenn sie am Abend ausgeht, dann

3 ____ Carmen ist froh, dass

4 ____ Sergej hat die Erfahrung gemacht,

5 ____ Er findet es angenehm, dass

6 ____ Seine Freunde finden es nicht schlimm,

7 ____ Sergej versteht nicht, dass man

A sind ihre Freunde nie pünktlich.

B die Busse meistens pünktlich fahren.

C Essen und Getränke zur Party mitbringt.

D die Arbeit im Ausland sehr interessant.

E man in Argentinien nicht nur Tango hört.

F wenn Sergej etwas nicht versteht.

G dass die Mitarbeiter sehr freundlich sind.

12 a Ein Aufenthalt an einem anderen Ort / in einem anderen Land. Ergänzen Sie.

> ~~denken~~ • sagen • stimmen • überrascht • verstehen • wichtig

1. Ich habe _gedacht_, dass es sehr warm ist. Aber es ist kalt.

2. Es ist hier sehr _____, dass man die Freunde einlädt.

3. Ich habe geglaubt, dass alles ordentlich ist. Aber das _____ nicht.

4. Die Leute waren freundlich und haben mir geholfen. Ich war sehr _____.

5. Viele Leute _____, dass es sehr heiß ist. Das stimmt wirklich.

6. Man isst hier sehr spät am Abend. Das kann ich nicht _____.

b Lesen Sie Ihren Text. Ihr Partner / Ihre Partnerin stellt Ihnen Fragen zum Text. Antworten Sie.

Serafina Diaz aus Spanien arbeitet in einer Bank in Hamburg. Von 12.00 bis 13.00 Uhr ist dort Mittagspause, dann arbeiten alle weiter bis 17.00 Uhr. Serafina findet das komisch. In Spanien hat sie von 14.00 bis 16.00 Uhr Pause gemacht und dann bis 19.00 gearbeitet. Manchmal geht sie nach der Arbeit noch mit Kolleginnen weg, aber die gehen dann schon gegen 19 Uhr nach Hause. Sie findet, dass das viel zu früh ist.

Fragen Sie Ihren Partner / Ihre Partnerin:
– Warum war Claas in Dortmund?
– Wie lange war er bei einer deutschen Familie?
– Warum hat ihm der Kuchen nicht geschmeckt?
– Was ist Claas passiert?

Fragen Sie Ihren Partner / Ihre Partnerin:
– Was macht Serafina in Hamburg?
– Warum hat sie früher immer Mittagspause gemacht?
– Wie lange hat sie in Spanien gearbeitet?
– Wann gehen die Kolleginnen nach Hause?

Claas van der Stock aus den Niederlanden hat mit seiner Klasse ein Schulprojekt in Dortmund gemacht. Er hat eine Woche bei einer Familie gewohnt. Am Sonntagnachmittag hat es Kaffee und Kuchen mit viel Sahne gegeben. Der Kuchen hat Claas gar nicht geschmeckt, er war viel zu süß. Aber er wollte höflich sein und hat den Kuchen ganz schnell gegessen. Da hat er gleich noch ein Stück Kuchen auf seinen Teller bekommen.

Das kann ich nach Kapitel 4

R1 Hören Sie die Veranstaltungstipps und ergänzen Sie die Informationen auf den Notizzetteln.

1.36–37

1. *Altstadtfest*
   Wann: · · *Was gibt es:*
   Straßenbahn:

2. *Chiemsee-Festival*
   Wer spielt:
   Kartenpreis: *Beginn:*

	☺☺	☺	☺	☹	KB	AB
Ich kann Informationen über Veranstaltungen verstehen.	☐	☐	☐	☐	6a–b	6a–c

R2 Ergänzen Sie die Sätze.

Ich finde es schade, wenn …   *Wenn ich …, habe ich Angst.*
Ich bin glücklich, wenn …   *Wenn ich …, entspanne ich mich.*
Für mich ist es traurig, wenn …   *Wenn ich …, freue ich mich sehr.*

	☺☺	☺	☺	☹	KB	AB
Ich kann beschreiben, wann ich welche Emotionen habe.	☐	☐	☐	☐	4b	4a–d, 5b

R3 Sprechen Sie mit Ihrem Partner / Ihrer Partnerin.

A

Ihr Partner / Ihre Partnerin erzählt. Reagieren Sie passend zu jeder Information.

Erzählen Sie Ihrem Partner / Ihrer Partnerin: eine Einladung zu einer Party bekommen / an dem Tag lange arbeiten / nach der Arbeit zur Party fahren / nichts mehr zum Essen da sein

B

Erzählen Sie Ihrem Partner / Ihrer Partnerin: eine Reise nach Basel machen / das Wetter schlecht sein / einen Schulfreund nach 10 Jahren wiedersehen / das Handy verlieren

Ihr Partner / Ihre Partnerin erzählt. Reagieren Sie passend zu jeder Information.

	☺☺	☺	☺	☹	KB	AB
Ich kann Freude oder Bedauern ausdrücken.	☐	☐	☐	☐	8b, 9	8

Außerdem kann ich	☺☺	☺	☺	☹	KB	AB
… Berichte über Auslandserfahrungen verstehen.	☐	☐	☐	☐	11	11
… ein Lied verstehen und darüber sprechen.	☐	☐	☐	☐	10	10
… über Veranstaltungen sprechen.	☐	☐	☐	☐	7a–c	7
… ein Fest beschreiben.	☐	☐	☐	☐	2, 7c	2b
… über Erfahrungen im Ausland berichten.	☐	☐	☐	☐	12	12b
… Einladungen, Glückwünsche, Danksagungen verstehen und aussprechen.	☐	☐	☐	☐	3a–d	3a–c
… Informationen über Ereignisse verstehen.	☐	☐	☐	☐		1

Lernwortschatz Kapitel 4

Feste und Ereignisse

die Blume, -n _____

der Blumenstrauß, -sträuße _____

das Ereignis, -se _____

die Feier, -n _____

die Führerscheinprüfung, -en _____

die Geburt, -en _____

die Hochzeit, -en _____

das Jubiläum, Jubiläen _____

der Ring, -e _____

an|bieten _____

den Gästen etwas anbieten _____

_____

bekommen _____

ein Geschenk bekommen _____

_____

heiraten _____

wunderbar _____

Glückwünsche

Herzlichen Glückwunsch! _____

Viel Glück! _____

Alles Glück der Welt! _____

gratulieren _____

Wir gratulieren Euch sehr herzlich! _____

_____

wünschen _____

Wir wünschen Euch alles Gute! _____

_____

sich bedanken

Danke schön! _____

Herzlichen Dank! _____

Tausend Dank! _____

Vielen Dank! _____

danken _____

Ich danke dir! _____

Gefühle

die Angst, Ängste _____

Angst haben _____

die Erinnerung, -en _____

die Freundschaft, -en _____

das Gefühl, -e _____

das Glück (Singular) _____

die Kindheit (Singular) _____

die Liebe (Singular) _____

das Pech (Singular) _____

So ein Pech! _____

die Sehnsucht, -süchte _____

leid tun _____

Das tut mir leid! _____

ärgerlich _____

aufregend _____

Ich finde es aufregend, ... _____

böse _____

Er ist böse auf mich. _____

fröhlich _____

gestresst _____

glücklich ↔ unglücklich _____

nervös _____

peinlich _____

Das ist mir aber peinlich! _____

_____

schade _____

Ich finde es schade. _____

Veranstaltungen

das Feuerwerk, -e _____

das Kinderfest, -e _____

das Stadtfest, -e _____

die Veranstaltung, -en _____

statt|finden _____

teil|nehmen (an) _____

historisch _____

Musik

die Band, -s _____

das Lied, -er _____

die Melodie, -n _____

der Musikstil, -e _____

klingen _____

Das Lied klingt schön. _____

im fremden Land

die Ankunft (Singular) _____

das Ausland (Singular) _____

das Wohnheim, -e _____

erzählen _____

freundlich _____

hilfsbereit _____

interessiert _____

Die Studenten sind interessiert. _____

_____

ordentlich _____

schlimm _____

Ich finde das nicht schlimm. _____

_____

überrascht _____

Ich war ziemlich überrascht. _____

_____

andere wichtige Wörter und Wendungen

der Grund, Gründe _____

der Kreis, -e _____

ab|wechseln _____

fallen _____

Ein Glas fällt auf den Teppich. _____

_____

warten _____

weg|fahren _____

beliebt _____

verschieden _____

zahlreich _____

nirgends _____

niemand _____

wichtig für mich

_____

_____

_____

_____

Notieren Sie positive und negative Gefühle.

☺

_____

_____

_____

_____

☹

nervös,

_____

_____

_____

5 Was machen Sie beruflich?

1

a Hören Sie zwei Gespräche zu den Berufen aus dem Kursbuch. Welcher Beruf passt? Notieren Sie.

1.38–39

> Lehrer • Tischler • Anwalt • Grafiker

Gespräch 1: _____ Gespräch 2: _____

b Lesen Sie die Beschreibungen und die Anzeigen. Welche Anzeige passt zu wem?
Für eine Person gibt es keine Anzeige.

1. Lara studiert und sucht einen Job am Abend oder am Wochenende. Sie möchte nur 8 Stunden in der Woche arbeiten. _____
2. Mario spricht mehrere Sprachen und interessiert sich für andere Länder. Er kann nur nachmittags arbeiten. _____
3. Jens ist Sportstudent und sucht eine Stelle im Stadtzentrum für einige Stunden am Nachmittag. Die Arbeit soll nicht anstrengend sein. _____
4. Sarah kennt sich mit Computern aus, arbeitet gern mit Menschen und möchte vormittags arbeiten. _____
5. Nicole ist sportlich und gern draußen. Die Arbeitszeiten sind ihr egal. _____

A www.computerprofis.de

Wir, **Computerprofis.de**,
suchen eine Aushilfe für unser Team.
Voraussetzung:
offener Umgang mit Kunden und
Kollegen, Spaß an der Arbeit
Arbeitszeiten 9.00–12.00 Uhr,
drei Tage pro Woche
Tel. 040-918171 Marc

B www.hotel-international.de

Hotel International sucht einen
Nachtportier für drei Nächte pro
Woche

Voraussetzung: Englisch- und
Französisch-Kenntnisse

Tel. 040-239918

C www.die-briefzusteller.de

Ferienjob als Briefzusteller in
verschiedenen Stadtbezirken.
Montag bis Samstag von 6–14 Uhr

Voraussetzung:
gute Kondition, zuverlässig

040-778191 von 9–10 Uhr

D www.cafe-stadtpark.de

Café Stadtpark sucht eine
freundliche, sympathische
Aushilfe für Sonntag 10–18 Uhr.
Auch ohne Erfahrung in der
Gastronomie.
Tel. 040-560561

E www.suedtours.de

Reisebüro Südtours

Unser Team in Hamburg-Harburg
braucht Hilfe! Wir suchen einen
Reisefan mit Büroerfahrung.

Arbeitszeit von 13–18 Uhr.
Tel.: 040-372971 Frau Henkel

F www.sportmerz.com

Wir brauchen dringend neue
Verkäufer für unsere Filiale im
Stadtzentrum.
Arbeitszeit: Mo–Fr 9–13 Uhr
Festanstellung möglich
Sport Merz
www.sportmerz.com

2 Finden Sie zehn Berufe. Notieren Sie zu fünf Berufen eine typische Tätigkeit. Vergleichen
Sie mit einer Partnerin / einem Partner (ä = ae).

K	O	M	U	F	R	A	T	I	S
B	L	E	H	R	E	R	I	N	A
S	U	B	R	I	L	Z	S	A	R
T	R	A	F	S	H	T	C	N	C
U	K	E	W	E	R	N	H	W	H
D	U	C	H	U	G	B	L	A	I
E	P	K	V	R	I	S	E	L	T
N	K	E	L	L	N	E	R	T	E
T	G	R	A	F	I	K	E	R	K
J	O	U	R	N	A	L	I	S	T

1. *Student* – *lernen*
2. _____ – _____
3. _____ – _____
4. _____ – _____
5. _____ – _____
6. _____ – _____
7. _____ – _____
8. _____ – _____
9. _____ – _____
10. _____ – _____
11. _____ – _____

Auf Geschäftsreise

3
Wortschatz

a **Ordnen Sie die Wörter zu.**

die Durchsage

der Fahrplan

abfahren, die Abfahrt

der Waggon

die Bahn

das Gleis

der Schalter

der Bahnsteig

ankommen, die Ankunft

die Fahrkarte • das Gepäck • der Koffer • der Zug •
das Schild • die Information • der Passagier • der Schaffner

b **Beschreiben Sie das Bild mit 6–8 Sätzen.**

Ein Mann kauft am Schalter eine Fahrkarte.
Am Gleis 9 kommen …

c **Ein Freund aus einer anderen Stadt möchte Sie besuchen.**
Lesen Sie die SMS und schreiben Sie eine E-Mail.

Hallo! Ich komme dich doch
am Wochenende besuchen.
Wie komme ich am besten
zu dir? Welchen Zug oder Bus
soll ich nehmen?
Bis bald! Ich freue mich!
Lg Mario

4

a **Sehen Sie die Reservierung an und beantworten Sie die Fragen.**

1. Wohin fahren die Personen? _____

2. Um wie viel Uhr beginnt die Zugfahrt? _____

3. Wann kommen die Personen an? _____

4. Welchen Sitzplatz haben die Personen? _____

5. Müssen sie umsteigen? Wenn ja, wann? _____

Erw: Erwachsener	BC: Bahncard	Hbf: Hauptbahnhof	Wg: Wagen	Pl: Platz

Ihre Reiseverbindung und Reservierung Hinfahrt am 04.05.

Halt	Datum	Zeit	Gleis	Fahrt	Reservierung
Berlin-Spandau	04.05.	ab 15:22	3	ICE 790	2 Sitzplätze, Wg. 4, Pl. 61 62, 2 Fenster, Tisch,
Hamburg Hbf	04.05.	an 16:51	6a/b		Nichtraucher, Ruhebereich
Hamburg Hbf	04.05.	ab 19:07	11a/b	ME 81531	
Cuxhaven	04.05.	an 20:50	1		

Ihre Reiseverbindung und Reservierung Rückfahrt am 06.05.

Halt	Datum	Zeit	Gleis	Fahrt	Reservierung
Cuxhaven	06.05.	ab 14:10	1	ME 81522	
Hamburg Hbf	06.05.	an 15:56	12a		
Hamburg Hbf	06.05.	ab 16:06	8a/b	ICE 901	2 Sitzplätze, Wg. 4, Pl. 61 62, 2 Fenster, Tisch,
Berlin Hbf (tief)	06.05.	an 17:46	1		Nichtraucher, Ruhebereich

b **Wer sagt das – der Fahrgast (F) oder der Bahn-Mitarbeiter (B)?**
Welche Redemittel gehören zusammen?

1. Wo möchten Sie sitzen? Abteil oder Großraumwagen? Gang oder Fenster? _B_   2. Wann fährt der nächste
Zug nach Cuxhaven? ___   3. Hin und zurück. ___   4. Muss ich umsteigen? ___   5. Einfach oder hin und
zurück? ___   6. Wann komme ich in Cuxhaven an? ___   7. Ja, Sie müssen in Hamburg umsteigen. ___
8. Ich möchte zwei Plätze reservieren. ___   9. Im Großraumwagen, mit Tisch, bitte. ___   10. Um 20.50 sind
Sie in Cuxhaven. ___   11. Ja, eine Bahncard 50. ___   12. Der nächste Zug fährt um 15.22 von Gleis 3. ___
13. Haben Sie eine Bahncard? ___

2. und 12.

c **Arbeiten Sie zu zweit. Sie sind Fahrgast und Ihr Partner / Ihre Partnerin ist Bahn-Mitarbeiter.**
Dann wechseln Sie die Rollen. Die Redemittel in Aufgabe 4b im Kursbuch helfen Ihnen.

Sie sind Fahrgast und wollen am Samstagvormittag nach Dresden fahren. Sie fragen nach dem Preis und der Verbindung (direkt, mit Umsteigen?). Sie haben keine Bahncard und möchten gern in einem Abteil am Fenster sitzen.	Sie sind Fahrgast und möchten am Mittwoch nach 18 Uhr nach Frankfurt fahren. Sie fragen nach dem Preis. Müssen Sie umsteigen? Sie haben eine Bahncard und möchten gern am Gang sitzen.
Sie sind Bahn-Mitarbeiter und geben Auskunft. Züge nach Frankfurt fahren um 17.50, 18.20 und 18.50. Man muss nicht umsteigen. Fragen Sie nach Wünschen für die Reservierung. Eine einfache Fahrkarte mit Bahncard kostet 45,– €.	Sie sind Bahn-Mitarbeiter und geben Auskunft. Züge nach Dresden fahren um 15.10, 16.10 und 17.10. Man muss in Leipzig umsteigen. Fragen Sie nach Wünschen für die Reservierung. Eine einfache Fahrkarte kostet 69,– €.

Das Abend-Programm

5

a David und Andreas unterhalten sich beim Abendessen. Was hat David gemacht? Kreuzen Sie an.

☐ Souvenirs gekauft   ☐ ein Restaurant besucht   ☐ eine Stadtrundfahrt gemacht
☐ einen Markt besucht   ☐ Museen besucht

◆ Erzähl doch mal, wie war dein letztes Wochenende?
◆ Also, wir waren in Berlin, in einem kleinen Hotel neben einer alten Brücke.
   Unter der Brücke war ein tolles Restaurant, dort waren wir abends immer.
◆ Und was habt ihr am Tag gemacht?
◆ Am Samstag sind wir auf einen tollen Markt gegangen, dort kann man alte Sachen kaufen.
   Na ja, leider sind alte Sachen nicht immer billig ...
◆ Und? Hast du ein lustiges Souvenir gekauft?
◆ Nein. Es hat dann geregnet und wir haben eine große
   Stadtrundfahrt gemacht.
◆ Seid ihr auch in bekannten Museen gewesen?
◆ Nein, aber das ist ein guter Grund für die nächste Reise.

> **Adjektivdeklination**
> Nach *kein* und *mein, dein, ...*
> im Singular wie nach dem
> unbestimmten Artikel.

b Ergänzen Sie die Tabelle. Kontrollieren Sie mit dem Gespräch aus Aufgabe 5a.

	maskulin	neutrum	feminin	Plural
Nominativ	ein gut___ Grund	dein letzt___ Wochenende	eine groß___ Rundfahrt	alt___ Sachen
Akkusativ	einen toll___ Markt	ein lustig___ Souvenir	eine alte Brücke	alt___ Sachen
Dativ	einem tollen Markt	einem klein___ Hotel	einer alt___ Brücke	bekannt___ Museen

c Schreiben Sie sechs Sätze.

Ein	alt	Frau	fährt in		teuer	Land
Eine	jung	Mann	kommt aus	ein	interessant	Stadt
Mein	hübsch	Mädchen	macht Urlaub in	eine	modern	Museum
Meine	klug	Kind	besucht	kein	klein	Hotel
	lustig	Kellnerin	geht in	keine	schön	Wohnung
	reich	Lehrer	zieht um in		langweilig	Strand

d Lesen Sie die Mail von Isa und ergänzen Sie die Adjektive. Achten Sie auf den bestimmten oder unbestimmten Artikel.

```
⊙ ⊙ ⊙                                                              ⊂⊃
Hallo Andreas,
ich hoffe, ihr hattet eine _____ (1) Fahrt und einen _____ (2) Abend. Seid ihr          gut, schön

wieder in dem _____ (3) Hotel? Ich hatte heute einen sehr _____ (4) Tag.                  klein, ruhig

Die _____ (5) Kollegin ist sehr nett und die _____ (6) Präsentation ist fertig.           neu, wichtig

Am Nachmittag habe ich eine _____ (7) Fahrradtour gemacht. Danach habe ich noch                     lang

meine _____ (8) Freundin Mona getroffen und wir haben einen _____ (9) Film                alt, lustig

im Kino gesehen. Dann waren wir noch in dem _____ (10) Café am Markt. Wann hast                  toll

du morgen eine _____ (11) Pause? Dann ruf mich mal an! Isa                                       klein
```

6

Deutsche Freunde haben Ihnen eine Postkarte geschrieben. Schreiben Sie ihnen eine Mail und beschreiben Sie Ihre letzte Reise. Verwenden Sie möglichst viele Adjektive.

> *Viele Grüße aus Berlin! Das Wetter ist leider schlecht, deshalb waren wir heute in einem neuen Museum. Dort war eine interessante Ausstellung über moderne deutsche Fotografie. Dann waren wir in einem romantischen Restaurant und haben italienische Spezialitäten gegessen. Jetzt gehen wir noch in einen bekannten Club und morgen ist schon alles vorbei ☹.*
> *Bis bald!*
> *Sven und Olivia*

Hallo Sven und Olivia,
danke für eure Karte! _____

_____

_____

A_____

Bl_____

12_____

DE_____

_____

Der Traumberuf?

7

a Was gehört zusammen? Ordnen Sie zu.

1. _F_ Nach 17 Jahren Arbeit in einer Firma

2. ___ Frau Bohnsack hatte eine Idee und hat

3. ___ Sie ist sehr kreativ und macht

4. ___ Wenn sie mit ihrer Firma nicht genug Geld verdient,

5. ___ Markus Studer hat eine Ausbildung

6. ___ Er war 25 Jahre als Arzt erfolgreich,

7. ___ Er verdient weniger als im alten Beruf,

A aus alten Möbeln neue Schmuckstücke.

B zum Herzchirurgen gemacht.

C aber er ist glücklich im neuen Beruf.

D eine kleine Firma gegründet.

E aber dann wurde er Fernfahrer.

F wurde Christine Bohnsack arbeitslos.

G kann sie in den alten Beruf zurückgehen.

b Hören Sie die Interviews. Worüber sprechen die Personen? Kreuzen Sie an.

1.40

	spricht über Arbeitszeit	spricht über Ausbildung	spricht über Berufswechsel	sagt, was ihm/ihr gefällt
Vera Lingen				
Alex Graf				
Mila Prokopic				
Stefan Richter				

c *mit* oder *ohne*? Ergänzen Sie auch den Artikel.

1. Vera Lingen spricht bei ihrer Arbeit _mit den_ Kunden.

2. „Ich verdiene mein Geld _____ Fahrrad", sagt der Fahrradbote Alex Graf.

3. Alex Graf kennt alle Straßen in Wien und kann _____ Stadtplan losfahren.

4. Mila Prokopic arbeitet gern _____ netten Kolleginnen im Restaurant.

5. Stefan Richter mag die Schüler, aber er findet die Ferien _____ Schule auch schön.

d Welche Präposition passt? Kreuzen Sie an.

1. Alex Graf ist seit ☐ mit ☐ von ☐ elf Jahren Fahrradbote.

2. Er bekommt seine Aufträge nach ☐ von ☐ zu ☐ der Zentrale.

3. Er holt verschiedene Sachen bei ☐ zu ☐ mit ☐ den Kunden ab.

4. Dann fährt er so schnell wie möglich zu ☐ von ☐ bei ☐ dem Empfänger.

5. Er nimmt die Sachen nach ☐ aus ☐ mit ☐ seinem Rucksack und gibt sie ab.

6. Dann spricht er zu ☐ bei ☐ mit ☐ der Zentrale und bekommt einen neuen Auftrag.

7. Am Abend aus ☐ seit ☐ nach ☐ der Arbeit ist er müde und duscht.

8. „Ich brauche ein gutes Fahrrad ohne ☐ für ☐ durch ☐ die Arbeit", sagt Alex Graf.

9. Er hatte schon Unfälle, aber zum Glück immer ohne ☐ für ☐ durch ☐ eine große Verletzung.

e *mit* und *ohne*. Was machen Sie? Ergänzen Sie die Sätze.

1. Ich telefoniere fast jeden Tag mit _____.

2. Ich fahre nie ohne _____ in den Urlaub.

3. Ich gehe oft mit _____ zur Arbeit.

4. Ohne _____ kann ich nicht _____.

5. Ich habe oft mit _____ Deutsch gelernt.

> **Grammatik in Sätzen lernen**
> Merken Sie sich Grammatik in Sätzen, die für Sie wichtig sind, z. B.:
> **Ohne meinen** Hund fühle ich mich allein.   Ich gehe gern **mit meinem** Hund spazieren.

8

a Ergänzen Sie *sein* oder *werden* in der richtigen Form.

Das Wetter _____ schön.

Das Wetter _____ schlecht.

Das Wetter _____ schlecht.

Im Jahr 2000: Linda und Ali _____ Schüler.

2006–2011: Sie _____ an der Uni und wollten Architekten _____.

Seit 2012 _____ sie Architekten und arbeiten zusammen.

b **Ergänzen Sie *werden* im Präsens und im Perfekt oder Präteritum.**

1. Du hast doch morgen Geburtstag.

   Wie alt _____ du?

   Du hattest ja letzte Woche Geburtstag.

   Wie alt _____ du _____?

2. Maria und Verena studieren Sport.

   Sie _____ später Sportlehrerinnen.

   Vladimir und Vitali haben Sport studiert.

   Nach dem Studium _____ sie Boxer.

3. Wir machen Sommerferien in Norwegen.

   In der Nacht _____ es nicht dunkel.

   Wir waren im Winter in Norwegen.

   Auch am Tag _____ es nicht richtig hell.

9

a **Musikerin – ein Traumberuf? Lesen Sie die Teile und ordnen Sie den Text.**

____ Wenn Claudia Ferrer sagt, sie bringt die Waren in die Schweiz, dann meint sie das auch so. Alle zwei Wochen fährt sie mit ihrem roten Auto nach Lausanne und liefert Obst, Gemüse, Oliven und andere Produkte direkt an ihre Kunden.

_1_ Ihr Freund musste Cello lernen, und plötzlich wollte Claudia Ferrer auch Cello lernen. Sie war damals sechs Jahre alt, und für die nächsten 25 Jahre war das Cello in ihrem Leben sehr, sehr wichtig.

____ Später ist sie nach Südfrankreich gegangen und hat dort eine Firma gegründet, Frégumes. Die Firma kauft Früchte und Lebensmittel in sehr guter Qualität und bringt sie in die Schweiz, vor allem in Restaurants.

____ Nach dem Studium hat Claudia noch mehr geübt als vorher und wurde dann in Köln Orchestermusikerin. Und sie hatte viele Termine und Konzerte.

____ Und ihr Cello? Claudia Ferrer macht seit ein paar Jahren wieder Musik, nur als Hobby, im Orchester von Fréjus, ihrer Geburtsstadt. „Nur zum Spaß", sagt sie.

____ An ihrem 31. Geburtstag hat sie entschieden, dass sie etwas anderes machen will. Sie wollte richtig gut kochen lernen und hat in einem feinen Restaurant eine Ausbildung begonnen. So wurde sie Köchin.

____ Nach dem Abitur hat Claudia an der Musikhochschule Cello studiert.

b *sein, haben, werden?* **Oder ein Modalverb? Ergänzen Sie im Präteritum.**

Mit sechs Jahren _wollte_ (1) Claudia Ferrer Cello lernen, weil ihr Freund auch Cello gespielt hat.

Claudia _____ (2) viel üben, aber sie hat das gern gemacht. Nach ihrem Abitur

_____ (3) sie Unterricht an der Musikhochschule und _____ (4) eine gute Studentin.

Nach ihrem Studium _____ (5) sie Orchestermusikerin. Jetzt _____ (6) sie noch mehr

üben, aber das _____ (7) ihr egal. An ihrem 31. Geburtstag _____ (8) alles ganz anders.

Sie _____ (9) nicht mehr Musikerin sein. Nach ihrer Ausbildung in einem Restaurant

_____ (10) sie eine Zeit lang Köchin.

wollten • sein • werden • wollten • sein • müssen • müssen • haben • sein • werden

c **Welche Ausdrücke passen zu diesen Berufen? Was finden Sie an diesen Berufen gut? Ergänzen Sie.**

> etwas erklären • bei jedem Wetter draußen sein • mit den Kunden reden •
> (nicht) anstrengend • (nicht) gefährlich • in der Nacht arbeiten • (keine) feste/n Arbeitszeiten haben •
> wenig/viel Abwechslung haben • (nicht) interessant

Margret Pung, 26,
Postangestellte

Franz Langer, 41,
Bauarbeiter

Esther Giesen, 28,
Krankenschwester

_____ _____ _____

_____ _____ _____

_____ _____ _____

Das finde ich an diesen Berufen gut:

_____ _____ _____

  d **Und Ihr Beruf? Beschreiben Sie.**

10 **a** *m* oder *n*? Was hören Sie am Wortende? Ergänzen Sie.

1. Frau Linge[m/n] muss de[m/n] Kunde[m/n] bei eine[m/n] Termi[m/n] etwas erkläre[m/n].

2. Herr Dahle[m/n] fährt mit seine[m/n] neue[m/n] Auto i[m/n] diese[m/n] Jahr nach Husu[m/n].

3. Frau Kle[m/n] liebt de[m/n] warme[m/n] Sommer, i[m/n] de[m/n] kalte[m/n] Wintermonaten lebt sie i[m/n] Süde[m/n].

4. Seli[m/n] fährt mit seine[m/n] Freund Achi[m/n] zu seine[m/n] Onkel Hassa[m/n] nach Aache[m/n].

b **Hören Sie noch einmal und sprechen Sie nach.**

c **Schreiben Sie drei Sätze mit Wörtern mit *m* oder *n* am Wortende (mindestens 10 Wörter). Ihr Partner / Ihre Partnerin liest die Sätze vor.**

_____

_____

Telefonieren am Arbeitsplatz

11 Auf Deutsch telefonieren. Schreiben Sie je drei Tipps mit diesen Ausdrücken.

> ~~das Ziel überlegen: Was wollen Sie?~~ • wichtige Ausdrücke sammeln und aufschreiben •
> Ihre Fragen oder Ihr Problem notieren • nachfragen, wenn etwas unklar ist • lächeln •
> Namen von Personen notieren • Papier und Stift bereitlegen • freundlich bleiben

Vor dem Telefonieren   *Überlegen Sie das Ziel: Was wollen Sie genau?*

_____

_____

Beim Telefonieren   _____

_____

12 a Ordnen Sie die Gespräche.

1. _C_ Firma Köhne, Sie sprechen mit Verena Achner. Was kann ich für Sie tun?

2. ____ Frau Wenger ist gerade nicht am Platz. Kann ich etwas ausrichten?

3. ____ Ab zwei ist sie bestimmt wieder in ihrem Büro.

4. ____ Aber gern. Also 0221 / 83 14 12. Und die Durchwahl ist 42 21.

5. ____ Bitte, gern, Frau Kuhn. Auf Wiederhören.

A Nein, danke. Ich rufe später noch mal an. Ist Frau Wenger am Nachmittag da?

B Können Sie mir bitte die Durchwahl von Frau Wenger geben?

C Guten Tag! Mein Name ist Alexandra Kuhn. Kann ich bitte mit Frau Wenger sprechen?

D Auf Wiederhören.

E Durchwahl 42 21. Vielen Dank.

1. ____ Guten Tag, Buchhandlung Parnass, Dellmann.

2. ____ Tut mir leid, Herr Felder ist außer Haus. Möchten Sie eine Nachricht hinterlassen?

3. ____ Er soll heute Frau Weiler anrufen, stimmt das?

4. ____ Das richte ich gern aus, Frau Weiler.

A Ja, bitte. Herr Felder soll mich heute zurückrufen.

B Ja, das ist gut. Er kann mich bis fünf unter dieser Nummer erreichen.

C Hier spricht Weiler. Können Sie mich bitte mit Herrn Felder verbinden?

D Vielen Dank. Auf Wiederhören.

b Hören Sie. Sprechen Sie die zweite Stimme.

1.42–43

Wie wir morgen arbeiten

13 Neue Arbeitswelt: Was ist für Sie positiv, was negativ? Kreuzen Sie an. Sprechen Sie dann mit einem Partner / einer Partnerin über Ihre Bewertung.

	+	–		+	–
der Austausch von Wissen	☐	☐	mit dem Laptop mobil arbeiten	☐	☐
keinen festen Job haben	☐	☐	Teamarbeit und Projekte sind wichtig	☐	☐
immer erreichbar sein	☐	☐	Telefon- und Videokonferenzen im Internet	☐	☐
keine festen Arbeitszeiten haben	☐	☐	familienfreundliche Arbeitszeiten	☐	☐

Das kann ich nach Kapitel 5

R1 Hören Sie das Telefongespräch. Notieren Sie die Informationen.

🔘 1.44

Mit wem möchte Herr Jeschke sprechen? _____

Wann kann man diese Person erreichen? _____

Wie ist die Durchwahl? _____

	☺☺	☺	😐	☹	KB	AB
💬 Ich kann Telefongespräche führen.	☐	☐	☐		11, 12	11, 12

R2 Arbeiten Sie zu zweit. Sprechen Sie über die Freizeitmöglichkeiten in Bern und wählen Sie ein Angebot für den Abend.

Tanzfestival „Steps" im Stadttheater Bern

Moderner Tanz mit Live-Musik und Diskussion mit dem Publikum

25.04. um 20 Uhr
Eintritt ab 18,– CHF

Live-Konzert

mit der Schweizer Rapperin **Big Zis**

Rockig, exzentrisch und frech!

Mittwoch 25.04. in der Turnhalle im **PROGR**, Eintritt 15,– CHF

Stadtführung bei Nacht
Wandern Sie mit uns zwei Stunden durch das nächtliche Bern. Viele interessante und spannende Geschichten warten auf Sie.
Beginn 20 Uhr vor dem Rathaus
Kosten: 10,– CHF pro Person

	☺☺	☺	😐	☹	KB	AB
💬 Ich kann über Freizeitangebote sprechen.	☐	☐	☐	☐	5a, b, 6	5a

R3 Lesen Sie die Mail von Olivia und antworten Sie ihr kurz.

Überraschung! Ich komme dich am Wochenende endlich besuchen. Ich möchte viel Zeit mit dir haben! Was wollen wir machen? Ich freue mich! Olivia

	☺☺	☺	😐	☹	KB	AB
✏ Ich kann kurze Texte über Orte und Erlebnisse schreiben.	☐	☐	☐	☐		6

Außerdem kann ich	☺☺	☺	😐	☹	KB	AB
👂 ... Gespräche beim Fahrkartenkauf verstehen.	☐	☐	☐	☐	3b–d	4b
💬 ... ein Gespräch am Fahrkartenschalter führen.	☐	☐	☐	☐	4b	4c
💬 ... eine Person vorstellen.	☐	☐	☐	☐	7b	
💬✏ ... über Berufswünsche und Traumberufe sprechen und schreiben.	☐	☐	☐	☐	8c, 9	9d
💬 ... über die Arbeitswelt sprechen.	☐	☐	☐	☐	13a, c	13b
📖👂 ... Texte mit Informationen über Menschen und Berufe verstehen.	☐	☐	☐	☐	1a, b, 7a, b	1, 7a, b
📖 ... Anzeigen zum Freizeitangebot verstehen.	☐	☐	☐	☐	5a	
📖 ... Stellenanzeigen verstehen.	☐	☐	☐	☐		1b
📖 ... einen längeren Lesetext über Arbeit verstehen.	☐	☐	☐	☐	7a, 13b	9a
✏ ... die Anreise zu meiner Wohnung beschreiben.	☐	☐	☐	☐		3c

Lernwortschatz Kapitel 5

rund ums Berufsleben

der Anwalt, Anwälte _____

der Friseur, -e _____

der Grafiker, – _____

der Tischler, – _____

der Vermieter, – _____

der Kamm, Kämme _____

die Schere, -n _____

föhnen _____

auf Geschäftsreise

die Abfahrt, -en _____

das Abteil, -e _____

die Auskunft, Auskünfte _____

der Bahnsteig, -e _____

die Durchsage, -n _____

der Fahrgast, -gäste _____

der Fahrplan, -pläne _____

der Gang (hier nur Singular) _____

ein Platz am Gang _____

die Geschäftsreise, -n _____

das Gleis, -e _____

Achtung auf Gleis 2, der Zug fährt ein! _____

_____

der Großraumwagen, – _____

die Hinfahrt, -en ↔ die Rückfahrt, -en _____

_____

die Information (hier nur Singular) _____

Fragen Sie an der Information! _____

_____

die Klasse, -n _____

erster/zweiter Klasse fahren _____

_____

der Platz, Plätze _____

der (Fahrkarten)Schalter, – _____

das Schild, -er _____

der Waggon, -s _____

an|kommen _____

reservieren _____

direkt _____

hin und zurück _____

Abend-Programm

die Ermäßigung, -en _____

die Sehenswürdigkeit, -en _____

der Senior, -en _____

die Seniorin, -nen _____

genießen _____

aktuell _____

bekannt _____

früher _____

geschlossen _____

großartig _____

hübsch _____

verrückt _____

zahlreich _____

der Traumberuf

der Anfang, Anfänge _____

die Autobahn, -en _____

der Berufswechsel, – _____

die Freiheit (hier nur Singular) _____

der Lastwagen, – (kurz: LKW, -s) _____

der Traum, Träume _____

der Traumberuf, -e _____

bereuen _____

erfüllen _____

sich einen Traum erfüllen _____

gründen _____

tauschen _____

arbeitslos _____

erfolgreich _____

kreativ _____

Tipps für das Telefonieren

das Blatt, Blätter _____

ein Blatt Papier _____

die Durchwahl, -en _____

die Nachricht, -en _____

die Ruhe (Singular) _____

aus|richten _____

Bitte richten Sie ihm das aus. _____

_____

aus|schalten _____

hinterlassen _____

eine Nachricht hinterlassen _____

sich konzentrieren _____

lächeln _____

verbinden _____

Verbinden Sie mich bitte mit ihm. _____

vergessen _____

zurück|rufen _____

deutlich _____

Sprechen Sie bitte deutlicher! _____

wichtig für mich

_____

_____

_____

die Arbeitswelt von morgen

der Austausch (Singular) _____

die Balance (Singular) _____

die Fähigkeit, -en _____

die Flexibilität (Singular) _____

die Position, -en _____

die Sicherheit (Singular) _____

die Teamarbeit (Singular) _____

die Internetverbindung, -en _____

betreuen _____

existieren _____

frei|haben _____

sich qualifizieren _____

zurecht|kommen _____

erreichbar _____

Man ist immer erreichbar. _____

_____

freiwillig _____

selbstständig _____

andere wichtige Wörter und Wendungen

eigen _____

Ich habe mein eigenes Büro. _____

_____

plötzlich _____

Wer arbeitet dort? Notieren Sie jeweils zwei Berufe.

Werkstatt: _____ Krankenhaus: _____

Büro: _____

Beschreiben Sie den Bahnhof in Ihrer Heimatstadt. Was gibt es dort?

_____

_____

Ganz schön mobil

1 **Was ist das Problem? Ordnen Sie die Sätze zu.**

Wortschatz

A ___  **B** ___  **C** ___

D ___  **E** ___  **F** ___

1. Der Motor macht Probleme.
2. Lucas muss an der roten Ampel warten.
3. Lucas findet keinen Parkplatz.

4. Der Reifen ist kaputt.
5. Die Polizei kontrolliert Lucas.
6. Lucas steht im Stau.

2 **Hören Sie die Dialoge. Was ist richtig? Kreuzen Sie an.**

1.45–46

1. Maria kommt zu spät, weil ...
   - a der Bus zu voll war.
   - b der Bus Verspätung hatte.
   - c in der Stadt ein Stau war.

2. Tom ist nicht pünktlich, weil ...
   - a er keinen Parkplatz gefunden hat.
   - b das Navi nicht funktioniert hat.
   - c so viel Verkehr war.

3 **a Hören Sie. Welches Verkehrsmittel benutzen die Leute? Welche Vor- und Nachteile nennen sie? Notieren Sie Stichpunkte.**

1.47–49

Person 1	Person 2	Person 3
Verkehrsmittel: *S-Bahn*	Verkehrsmittel:	Verkehrsmittel:
Vorteile:	Vorteile:	Vorteile:
Nachteile:	Nachteile:	Nachteile:

b **Was passt? Ordnen Sie zu und schreiben Sie jeweils einen Beispielsatz.**

1 _D_ eine Fahrkarte   A stehen

2 ____ zu spät   B nehmen

3 ____ den Anschluss   C gehen

4 ____ das Fahrrad   D kaufen

5 ____ zu Fuß   E kommen

6 ____ im Stau   F verpassen

> *Ich kaufe immer eine Fahrkarte für den ganzen Monat.*

Unterwegs zu ...

4

a **Sehen Sie die Bilder an. Was wollen die Leute wissen? Notieren Sie pro Person zwei W-Fragen.**

Die Frau auf Bild 1: _Was kostet eine Fahrkarte nach Köln?_

_____

Das Kind auf Bild 2: _____

_____

Der Mann auf Bild 3: _____

_____

b **Tauschen Sie das Buch mit Ihrem Nachbarn / Ihrer Nachbarin. Formulieren Sie aus den Fragen Ihres Nachbarn / Ihrer Nachbarin indirekte Fragesätze.**

> *Die Frau möchte wissen, wann der Zug nach Köln fährt.*
> *Das Kind fragt, ...*
> *Der Mann möchte wissen, ...*

5

Arbeiten Sie zu zweit. Formulieren Sie eine Frage höflicher. Ihr Partner / Ihre Partnerin antwortet. Dann fragt er/sie.

Ich möchte gern wissen, ...	Weißt du, ...	Kannst du mir sagen, ...
Wie spät ist es?		Wie viel kostet eine Busfahrkarte?
Wo ist die nächste Bushaltestelle?		Wie lange dauert die Fahrt von der
Wann fährt der nächste Bus ab?		Sprachschule bis zum Bahnhof?
Wo kann ich Busfahrkarten kaufen?		Wo kann ich einen Fahrplan bekommen? ...

Schnell zum Ziel

6 **a** **Lesen Sie die E-Mail. Welche Bilder passen zu welcher Textstelle?**

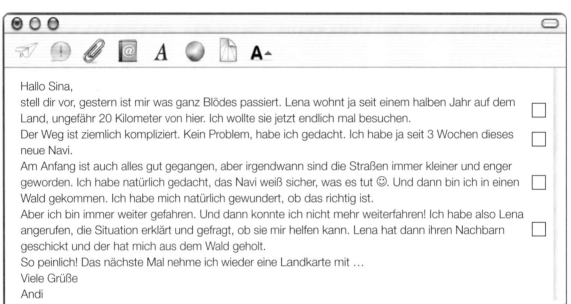

Hallo Sina,

stell dir vor, gestern ist mir was ganz Blödes passiert. Lena wohnt ja seit einem halben Jahr auf dem Land, ungefähr 20 Kilometer von hier. Ich wollte sie jetzt endlich mal besuchen. ☐

Der Weg ist ziemlich kompliziert. Kein Problem, habe ich gedacht. Ich habe ja seit 3 Wochen dieses neue Navi. ☐

Am Anfang ist auch alles gut gegangen, aber irgendwann sind die Straßen immer kleiner und enger geworden. Ich habe natürlich gedacht, das Navi weiß sicher, was es tut ☺. Und dann bin ich in einen Wald gekommen. Ich habe mich natürlich gewundert, ob das richtig ist. ☐

Aber ich bin immer weiter gefahren. Und dann konnte ich nicht mehr weiterfahren! Ich habe also Lena angerufen, die Situation erklärt und gefragt, ob sie mir helfen kann. Lena hat dann ihren Nachbarn geschickt und der hat mich aus dem Wald geholt. ☐

So peinlich! Das nächste Mal nehme ich wieder eine Landkarte mit …

Viele Grüße

Andi

b **Was fragen die Leute? Ergänzen Sie die Dialoge.**

> Kommen wir rechtzeitig an? • War das da eine Radarkamera? •
> Gibt es hier in der Nähe eine Tankstelle? • Ist das der richtige Weg?

1. ◆ Ich bin gespannt, _ob_____.

    ◆ Ich glaube nicht. Es ist schon kurz vor zwei.

    ◆ Dann kommen wir ja viel zu spät!

2. ◆ Mist! Ich frage mich, _____.

    ◆ Natürlich! Das wird teuer! Warum musst du auch immer so schnell fahren!

3. ◆ Weißt du, _____?

    ◆ Oh, nein! Hast du wieder nicht getankt?

    ◆ Ich habe es vergessen.

4. ◆ Weißt du, _____?

    ◆ Ich glaube nicht. Mach doch mal das Navi an.

7

a **Nach Hause fahren. Was sagt der Vater? Schreiben Sie und hören Sie zur Kontrolle.**

1.50

Wann kommt sie?

Bleibt sie das ganze Wochenende?

Was möchte sie essen?

Fährt sie mit dem Auto?

Hat sie eine warme Jacke eingepackt?

1. ◆ Du, Maja, Mama möchte wissen, _____.
   ◇ Am Freitag.

2. ◆ Mama fragt auch, _____.
   ◇ Nein, mit dem Zug. Ich komme um 18.09 Uhr an.

3. ◆ Gut. Am Wochenende wird es kalt sein. Mama macht sich Sorgen, _____

   _____.
   ◇ Ja, habe ich. Ist doch klar.

4. ◆ Mama interessiert, _____.
   ◇ Am liebsten ihre gute Gemüsesuppe.

5. ◆ Mama fragt, _____.
   ◇ Ja, ich fahre erst am Montag wieder zurück.
   ◆ Das ist schön. Und Maja, Mama will auch wissen, ...

b **Ergänzen Sie.**

◆ Fährst du am Wochenende mit nach Bonn?

◆ Ich weiß noch nicht, _____ (1) ich Zeit habe. Habt ihr schon entschieden,

_____ (2) ihr mit dem Auto oder mit dem Zug fahrt?

◆ Ja, wir fahren mit meinem Auto.

◆ Und wisst ihr, _____ (3) ihr schlafen wollt?

◆ Ja, ich kenne ein günstiges Hotel.

◆ Und weißt du, _____ (4) eine Nacht dort kostet?

◆ 50 Euro pro Person.

◆ Weißt du, _____ (5) es auf der Autobahn viele Baustellen gibt?

◆ Ich nicht. Aber mein Navi weiß, _____ (6) Baustellen sind. Warte mal kurz ...

:::: wo • ob • wie viel • ob • wo • ob ::::

Wortschatz **C Verkehrsmittel. Was passt wo? Arbeiten Sie auch mit dem Wörterbuch. Manche Wörter passen mehrmals. Welche Wörter kennen Sie noch? Ergänzen Sie und vergleichen Sie mit Ihrem Partner / Ihrer Partnerin.**

> das Kfz • der Abflug • die Garage • der Pkw • der Wagen • die Versicherung • das Kennzeichen • abfliegen • rückwärts fahren • bremsen • die Reparatur • reparieren • landen • der Motor • tanken

Auto	Flugzeug	Zug

d Ergänzen Sie die Sätze mit Wörtern aus Aufgabe 7c.

1. ◆ Mein Auto fährt nicht. Ich glaube, der

   _____ ist kaputt.

   Die _____ wird bestimmt teuer.

   ◇ Ich kenne eine gute Werkstatt. Die haben da mein

   Auto auch ganz schnell _____.

2. ◆ Der Flug dauert ja lange, wann sind wir endlich da?

   ◇ Gleich, wir _____ in einer Viertelstunde.

3. ◆ Und was ist, wenn ich im Urlaub einen Unfall habe?

   ◇ Na ja, normalerweise bezahlt das die

   _____.

4. ◆ Da hinten ist ein Parkplatz.

   ◇ Da muss man aber _____

   und das kann ich nicht so gut.

   ◆ Okay, dann suchen wir weiter.

5. ◆ Was? Du hattest einen Unfall? Was ist denn passiert?

   ◇ Na ja, plötzlich ist ein Auto von rechts gekommen

   und ich konnte nicht so schnell _____.

   Aber zum Glück ist niemand verletzt.

> **Wörter lernen**
> Lernen Sie regelmäßig neue Wörter, aber nicht zu viele auf einmal.
> Pro Tag zehn neue Wörter sind genug.

So findest du zu mir

8

1.51

a Hören Sie die Wegbeschreibung. Zeichnen Sie den Weg in den Plan.

b Sehen Sie noch einmal auf den Plan in 8a. Beschreiben Sie den Weg von der U-Bahn zur Post.

durch • um … herum • entlang • gegenüber • bis zu • an … vorbei

Gehen Sie von der U-Bahn bis zu …

c Was macht die Katze? Schreiben Sie eine kleine Geschichte.

das Fenster • entlanggehen • der Kühlschrank • vorbeispazieren • um … herum gehen • gegenüber • sich setzen • springen • auf

d Spielen Sie zu zweit. Geh mal …!
A sagt B, wohin er/sie gehen soll.
Tauschen Sie dann die Rollen.

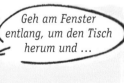

Geh am Fenster entlang, um den Tisch herum und …

9

1.52

a Schwierige Wörter: Lesen Sie diese Wörter laut. Nehmen Sie sich mit Ihrem Handy auf.
Hören Sie dann zur Kontrolle und vergleichen Sie.

Kraftfahrzeug, Personenkraftwagen, Führerscheinprüfung, Versicherung,
Bushaltestelle, Fahrkartenschalter, Zugfahrkarte, Radarkamera

b Hören Sie noch einmal und sprechen Sie nach.

1.52

c Schreiben Sie drei Sätze mit mindestens je einem Wort aus Aufgabe 9a. Lesen Sie Ihre Sätze vor.

Nach der Führerscheinprüfung …

Ein Auto für viele

10 a Welche Anzeige ist für wen interessant? Ordnen Sie zu. Eine Anzeige bleibt übrig.

1. Mira will ein Wochenende in Berlin verbringen. Die Reise mit dem Zug ist ihr zu teuer, aber sie hat kein Auto. _____

2. Eine Freundin hat Geburtstag und Sie möchten sie überraschen. Sie ist gern mit Freunden draußen und sie fährt gern Rad. _____

3. Nina aus Berlin macht ein Praktikum in München. In Berlin macht sie alles mit dem Fahrrad. Auch in München will sie mobil sein. _____

4. Roland und seine Freundin Paula fahren gerne U-Bahn und Bus, aber manchmal brauchen sie ein Auto – z. B. für Ausflüge am Wochenende oder für große Einkäufe. _____

5. Vier Freunde wollen am Wochenende zusammen einen Ausflug in die Berge machen. _____

Call a bike

Der schnelle Weg durch die Stadt – Sie möchten in der Stadt flexibel und mobil sein?
Kein Problem: Die Räder von **Call a Bike** stehen 24 Stunden für Sie bereit.
Einfach anmelden, ein Fahrrad ausleihen, losfahren. Wenn Sie das Rad nicht mehr brauchen, schließen Sie es ab und melden sich kurz übers Handy.

A

Mitfahrzentrale.de

hilft Ihnen seit über 15 Jahren bei der Suche nach Mitfahrgelegenheiten. Über 700.000 Kunden finden hier aktuelle Mitfahrgelegenheiten. Nutzen auch Sie den Service von **Mitfahrzentrale.de** *und sparen Sie Geld!*

D

Pendlerzentrale

Fahren auch Sie jeden Tag mit dem Auto zu Ihrem Arbeitsplatz? Wollen Sie sich die immer höheren Kosten für die Fahrten mit anderen teilen? Dann ist die **Pendlerzentrale** das Richtige für Sie! Nutzen Sie die **Pendler-Zentrale** und bieten Sie einen Mitfahrservice an – deutschlandweit und kostenlos!

B

Fahrradspaß für Sieben

Mieten Sie unser **Conferencebike**!
Machen Sie zusammen mit sechs Freunden oder Kollegen einen Fahrradausflug auf einem Fahrrad. Sie sitzen im Kreis und radeln wie am Konferenztisch – ein Teamleiter lenkt und bremst das Rad.

E

Zusammen günstig in die Berge, in die Stadt

Mit dem Bayern-Ticket ab 29,– EUR können bis zu fünf Personen einen Tag lang durch ganz Bayern fahren. Das Ticket gilt montags bis freitags in der Zeit von 09.00 Uhr bis 03.00 Uhr am Folgetag; an Samstagen, Sonntagen und Feiertagen sowie am 15. August bereits ab 00.00 Uhr.

C

Flinkster

Sie wohnen in der Stadt und brauchen eigentlich kein eigenes Auto? Sie wollen aber jederzeit günstig und flexibel ein Auto in Ihrer Nähe nutzen können? Wir haben die Lösung: Buchen Sie Fahrzeuge aller Art. Melden Sie sich an und fahren Sie mit Ihrer Kundenkarte einfach los.

F

b Eine Meinung äußern. Ordnen Sie die Redemittel in die Übersicht.

> Ich finde das gut, weil ... • ... ist sehr interessant. • Dagegen spricht, dass ... • ... spricht dafür. •
> Für mich ist das nicht so wichtig, weil ... • Ich bin dagegen, weil ... • Ich finde ... nicht so gut. •
> Ich bin der Meinung, dass ... wichtig ist. • Ich denke, das ist richtig. • Ich finde, dass ... unwichtig ist. •
> Ich glaube, ... funktioniert nicht. • Ich meine, dass ... sehr wichtig ist.

positiv	negativ

c Welche Anzeige aus 10a ist für Sie interessant? Welche interessiert Sie nicht?
Begründen Sie Ihre Meinung.

_____

_____

_____

Der Weg zur Arbeit in D-A-CH

11 a Lesen Sie den Text über einen Pendler. Beantworten Sie die Fragen.

1. Wie viele Kilometer fährt Hajo W. jeden Tag?
2. Wie lange braucht er dafür?
3. Warum wohnt er so weit weg von seiner Arbeit?
4. Welche Probleme gibt es?
5. Was findet er an der Situation gut?

Im Sommer hat Hajo W. eine neue Arbeitsstelle gesucht. Er hatte ein sehr gutes Angebot in Frankfurt, 30 Minuten Fahrzeit von zu Hause zur Arbeit. Aber der interessantere und bessere Job war in einer Kleinstadt, in Neuwied, 130 km von seinem Wohnort entfernt. Er hat sich für diesen Job entschieden. Jetzt fährt er fünfmal in der Woche mit der Bahn von Frankfurt nach Neuwied und wieder zurück. Eine Fahrt dauert fast zwei Stunden.

„Das Problem ist nicht die Zeit, sondern der Zeitdruck. Ich muss pünktlich gehen, denn sonst verpasse ich meinen Zug und dann muss ich eine Stunde warten. Und im Winter sind die Züge oft nicht pünktlich. Ich stehe dann immer noch früher auf, aber oft komme ich trotzdem zu spät zur Arbeit."

Aber Hajo W. und seine Familie möchten auf keinen Fall aus Frankfurt wegziehen. Sie haben dort ein eigenes Haus, die Kinder gehen in die Schule und haben dort ihre Freunde.
Auch die Freunde von Hajo und seiner Frau wohnen hier.
Aber etwas Gutes hat das Pendeln schon: „Ich habe Zeit zum Lesen. Das finde ich gut – ich lese im Zug Zeitung und Bücher. Und manchmal nutze ich die Zeit im Zug auch für meine Arbeit."

b Was ist für Sie wichtiger: ein guter Job oder ein Job nicht weit von zu Hause? Schreiben Sie mindestens fünf Sätze. Begründen Sie Ihre Meinung.

12 a Ein Hörrätsel. Hören Sie die Geräusche. Welche Verkehrsmittel hören Sie?

1.53

1. _____   4. _____

2. _____   5. _____

3. _____   6. _____

b Wählen Sie drei Verkehrsmittel aus Aufgabe 12a und beschreiben Sie sie. Ihr Partner / Ihre Partnerin rät.

Es ist groß und fährt unter der Stadt. Viele Leute passen in das Verkehrsmittel, Es fährt in einer Stadt. ...

Mit dem Fahrrad auf Reisen

13 a Sehen Sie eine Weltkarte an. Messen Sie die Entfernung Berlin–Saratov. Finden Sie eine Stadt, die von Ihrem Kursort genauso weit weg ist wie Saratov von Berlin.

b Hören Sie noch einmal das Interview mit Herrn Brumme. Welche Antwort ist richtig?

1.54

1. Wie oft hat er die Fahrt schon gemacht?
   - [a] 35-mal
   - [b] 5-mal
   - [c] 14-mal

3. Wie viele Kilometer fährt er durchschnittlich am Tag?
   - [a] 70 km
   - [b] 140 km
   - [c] 370 km

2. Was nimmt er mit auf die Reise?
   - [a] Bücher, Fahrradkleidung und Kleidung zum Wechseln
   - [b] sein teures Fahrrad und Werkzeug
   - [c] ein E-Book und wenig Kleidung

4. Was findet er auf der Tour am schönsten?
   - [a] den Wald und die Natur
   - [b] den Kontakt zu den Menschen und die Gewitter in der Steppe
   - [c] die Freiheit und die Bewegung

14 Was nimmt Christoph D. Brumme aus Aufgabe 14b im Kursbuch auf seine Reisen mit? Lösen Sie das Rätsel (ü=ue).

1. braucht man, wenn etwas kaputt ist
2. Kleidungsstück für den Kopf
3. Dinge zum Anziehen
4. eine Art Decke für unterwegs
5. ein kleines Haus aus Stoff
6. ein Dokument für die Reise
7. ein Papier, auf dem man sehen kann, wo man ist
8. ein sehr scharfer Gegenstand, mit dem man schneiden kann
9. eine Art Matratze zum Schlafen

Das kann ich nach Kapitel 6

R1 Sehen Sie das Bild an. Was fragt die Frau? Schreiben Sie drei Sätze.

> 1. Entschuldigung, wissen Sie, ...
> 2. Können Sie mir sagen, ...
> 3. Ich möchte gern wissen, ...

		☺☺	☺	😐	☹	KB	AB
💬	Ich kann Informationen erfragen.	☐	☐	☐	☐	4–5	4–5

R2 Lesen Sie die E-Mail und antworten Sie Mara.

○ ○ ○

Liebe/r ...,
danke für die Einladung, ich komme gern zu deiner Geburtstagsparty. Kannst du mir bitte noch mal kurz den Weg vom Bahnhof zu dir nach Hause beschreiben?
Viele Grüße und bis Samstag
Mara

		☺☺	☺	😐	☹	KB	AB
📖🎧✏	Ich kann eine Wegbeschreibung verstehen und geben.	☐	☐	☐	☐	8	8

R3 Lesen Sie die Anzeige. Wie finden Sie das Angebot? Schreiben Sie einen kurzen Text und begründen Sie Ihre Meinung.

> ▸ **Das rote Mobil-Rad** ◂
>
> **?** Sie sind zu Besuch in der Stadt? Plötzlich ist das Wetter schön?
> Die U-Bahn fährt nicht? – Jetzt ein Fahrrad haben und losfahren?
>
> **!** Kein Problem: Unsere roten Fahrräder finden Sie überall in der Stadt.
> Einfach anrufen, anmelden und losfahren. (Die Telefonnummer steht auf den Rädern.)

		☺☺	☺	😐	☹	KB	AB
💬✏	Ich kann meine Meinung ausdrücken.	☐	☐	☐	☐	10c–d	10b–c, 11b

Außerdem kann ich	☺☺	☺	😐	☹	KB	AB
📖 ... einfache Zeitungsartikel und Anzeigen verstehen.	☐	☐	☐	☐	10a–b	10a, 11a
📖 ... einen kurzen Reisebericht verstehen.	☐	☐	☐	☐	14b	6a
🎧 ... ein Interview mit einem Reisenden verstehen.	☐	☐	☐	☐	13	13
💬 ... über Verkehrsmittel und Reisen sprechen.	☐	☐	☐	☐	3, 7, 14	3, 7a–c
💬 ... Unsicherheit ausdrücken.	☐	☐	☐	☐	6–7	6b–7
💬📖 ... über den Weg zur Arbeit sprechen und einen Text darüber verstehen.	☐	☐	☐	☐	11	11a
💬 ... eine Statistik beschreiben.	☐	☐	☐	☐	12	
✏ ... eine kurze Geschichte schreiben.	☐	☐	☐	☐		8c
✏ ... ein Verkehrsmittel beschreiben.	☐	☐	☐	☐		12b

Lernwortschatz Kapitel 6

mobil sein

der Abflug, Abflüge _____

die Ampel, -n _____

der Anschluss, Anschlüsse _____

die Baustelle, -n _____

die Richtung, -en _____

die Strecke, -n _____

der Verkehr (Singular) _____

das Verkehrsmittel, – _____

die Verspätung, -en _____

Verspätung haben _____

das Ziel, -e _____

ab|fliegen _____

dauern _____

Das dauert ewig! _____

erreichen _____

den Zug erreichen _____

landen _____

parken _____

pendeln _____

verpassen _____

besetzt _____

Hier ist schon besetzt! _____

rund ums Auto

das Benzin (Singular) _____

die Garage, -n _____

das Kfz, – (= das Kraftfahrzeug, -e) _____

das Kennzeichen, – _____

der Motor, -en _____

das Navi, -s (= das Navigationsgerät, -e) _____

die Panne, -n _____

eine Panne haben _____

das Parkhaus, -häuser _____

der Parkplatz, -plätze _____

der Pkw, (-s) (= der Personenkraftwagen) _____

der Reifen, – _____

die Reparatur, -en _____

der Stau, -s _____

im Stau stehen _____

die Tankstelle, -n _____

der Wagen, – _____

die Versicherung, -en _____

bremsen _____

rückwärts/vorwärts fahren _____

_____

tanken _____

einen Weg beschreiben

der Ausgang, Ausgänge _____

der Kinderspielplatz, -plätze _____

_____

die Kreuzung, -en _____

der Weg, -e _____

ab|holen _____

an ... vorbei _____

am Parkplatz vorbei gehen _____

bis zu ... _____

entlang _____

immer den Fluss entlang _____

um ... herum _____

Gehen Sie um die Kirche herum. _____

_____

weit _____

zu Fuß _____

ein Auto für viele

das Angebot, -e _____

die Gebühr, -en _____

das Mitglied, -er _____

der Vertrag, Verträge _____

leihen _____

mieten _____

unterschreiben _____

flexibel _____

auf Reisen

die Begegnung, -en _____

das Ersatzteil, -e _____

die Fahrradtour, -en _____

die Landkarte, -n _____

das Notizbuch, -bücher _____

der Pass, Pässe _____

Kann ich Ihren Reisepass sehen? _____

_____

die Wäsche (Singular) _____

das Werkzeug, -e _____

die Meinung sagen

der Nachteil, -e ↔ der Vorteil, -e _____

_____

Ein Vorteil ist, dass … _____

Ich bin der Meinung, dass … _____

_____

meinen _____

wichtig für mich

_____

_____

_____

Welche Verkehrsmittel gibt es in Ihrer Stadt?

_____

_____

Ergänzen Sie ein passendes Verb.

den Bus _____

mit dem Zug _____

zu Fuß _____

denken _____

Ich bin gegen/für … _____

andere wichtige Wörter und Wendungen

im Durchschnitt _____

die Kamera, -s _____

der Schlüssel, – _____

der Wohnungsschlüssel, – _____

einschalten _____

funktionieren _____

installieren _____

sich kümmern (um) _____

einfach _____

einverstanden _____

Bist du einverstanden? _____

kühl _____

täglich _____

unmöglich ↔ möglich _____

wach _____

Ich bin schon lange wach. _____

_____

außerdem _____

übermorgen _____

im Stau _____

einen Parkplatz _____

Hören: Teil 2 – Radioansagen verstehen

1 **Was können Sie schon? Kreuzen Sie an:**

Ich kann ...

☐ ... die wichtigsten Informationen in Radioansagen verstehen.

☐ ... Uhrzeiten und Ortsangaben verstehen.

> Sie hören in der Prüfung (Hören: Teil 2) fünf kurze Radioansagen. Zu jeder Ansage gibt es eine Aufgabe mit drei Möglichkeiten.

2

a **Hören und lesen Sie den Text und markieren Sie die richtige Antwort:** a , b , **oder** c .

◉ 1.55

Wie wird das Wetter in Norddeutschland?
Und nun zum Wetter: Im Süden ist es das ganze Wochenende kühl und bewölkt. Erst am Sonntagabend wird es schöner. Im Westen und Norden Deutschlands scheint an beiden Tagen die Sonne und es wird warm. Im Osten regnet es am Samstag noch, aber am Sonntag bleibt es trocken.

a kalt
b regnerisch
c sonnig

> **Beim Hören**
> In der Ansage hören Sie oft alle drei Möglichkeiten. Achten Sie genau auf die Frage: Welche Antwort passt zu der Frage?

b **Wo passen die anderen Antworten? Suchen Sie die passende Textstelle und markieren Sie in 2a.**

3 **Die Prüfungsaufgabe**

Teil 2
Sie hören fünf Informationen aus dem Radio.
Zu jedem Text gibt es eine Aufgabe.
Kreuzen Sie an: a , b oder c .
Sie hören jeden Text einmal.

Beispiel

0 **Wann beginnt das Konzert?**

◉ 1.56

a Um 13 Uhr.
b Um 14 Uhr.
☒ Um 16 Uhr.

1 **Was ist auf der A7?**

◉ 1.57

a Eine Baustelle.
b Ein Unfall.
c Stau.

2 **Wie wird das Wetter morgen Vormittag?**

◉ 1.58

a Es regnet.
b Die Sonne scheint.
c Es gibt ein Gewitter.

3 Wo findet man sicher einen Park-platz?

1.59
- [a] Am Eingang Nord.
- [b] Am Eingang Ost.
- [c] Am Eingang West.

4 Was kann man gewinnen?

1.60
- [a] Ein Buch.
- [b] Eine CD.
- [c] Eine Reise.

5 Wann gibt es Filmtipps?

1.61
- [a] Um 16.30 Uhr.
- [b] Um 16.45 Uhr.
- [c] Um 17.05 Uhr.

Schreiben: Teil 1 – Ein Formular ausfüllen

4 Was können Sie schon? Kreuzen Sie an:

Ich kann ...
- [ ] ... einfache Formulare ausfüllen.
- [ ] ... Informationen in verschiedenen Texten finden.

> Sie ergänzen in der Prüfung (Schreiben: Teil 1) ein Formular mit Lücken. Die fünf Informationen finden Sie in drei Texten.

5 Lesen Sie die Texte und sammeln Sie die Informationen in der Tabelle.

Ihr Nachbar John Adams fährt viel mit dem Zug und braucht für das nächste Jahr eine Bahncard. Er möchte in der 2. Klasse und möglichst günstig fahren.

Nachname:	Adams
Vorname:	John
geb.:	23.08.1974
in:	Elmira, USA
Beruf:	Ingenieur
Straße:	Fuggerstraße 21
PLZ, Ort:	86150 Augsburg

John Adams wohnt seit drei Jahren in Deutschland und arbeitet für eine amerikanische Firma. Er besucht Kunden in ganz Deutschland und braucht ab dem 01. Januar eine Bahncard 50. Er ist verheiratet, aber seine Frau braucht keine Bahncard. Die Bahncard zahlt er selbst.

Maestro-Card
DEUTSCHE BANK
Bankleitzahl 700 700 24
Kontonummer 443378

John Adams
gültig bis **Januar 2019**

Persönliche Angaben (Geburtstag, Familienstand, Nationalität, ...)	Kontaktinformationen (Adresse, Telefonnummer, E-Mail, ...)	Zeitangaben (Beginn, Dauer, ...)	passende Informationen für diese Situation
_____	_____	_____	_____
_____	_____	_____	_____

6 Die Prüfungsaufgabe

Ihre Freundin Sofia Sertorio möchte ab dem Wintersemester ein Jahr in Leipzig studieren. Sie sucht noch ein Zimmer und meldet sich in einem Studentenwohnheim an.
Schreiben Sie die fünf fehlenden Informationen über Sofia in das Formular.

Sofia Sertorio
Via Dante 32
16121 Genua
sofsof@email.it
Tel: 0039-010-545352

Studentenausweis Nr. 3317450
Sofia Sertorio
geb. 11.03.1990
Universität Stuttgart

Sofia studiert seit zwei Jahren in Stuttgart Physik und ist im Sommer zu Hause in Italien. Ab September möchte sie in Leipzig studieren und allein in einem Zimmer im Wohnheim wohnen. Die Lage ist ihr egal. Sie kann dafür 250,– € ausgeben.

Bach-Studentenwohnheim Leipzig

Bitte ergänzen Sie Ihre persönlichen Angaben im Formular. Wir bearbeiten Ihre Anmeldung so schnell wie möglich.

Vorname:	*Sofia*
Nachname:	*Sertorio*
Geburtsdatum:	_____ (1)
Geschlecht:	[X] weiblich [ ] männlich
Familienstand:	[X] ledig [ ] verheiratet
Straße:	*Via Dante 32*
PLZ, Ort:	_____ *Genua* (2)
Telefonnummer	*00-39-010-545352*
Studienbeginn:	*Wintersemester 2013*
Studienfach:	_____ (3)
Wohntyp:	[ ] egal [ ] WG
	[ ] Einzelzimmer [ ] Doppelzimmer (4)
Miethöhe:	*maximal 250,– Euro*
Mietbeginn:	_____ (5)
Lage:	[ ] zentral [ ] Stadtgebiet [X] egal

Lesen: Teil 2 – Eine Zeitungsmeldung verstehen

7 a Was können Sie schon? Kreuzen Sie an:

Ich kann ...

[ ] ... wichtige Informationen aus kurzen Zeitungstexten verstehen.

[ ] ... Angaben zu Person, Zeit und Ort in Texten verstehen.

> Sie lesen in der Prüfung (Lesen: Teil 2) einen Zeitungstext (ca. 200 Wörter) und 5 Aussagen. Sie kreuzen bei jeder Aussage richtig oder falsch an.

b **Lesen Sie den Text. Sind die Aussagen richtig oder falsch? Kreuzen Sie an.**

1. Christoph Brumme hat schon mehrmals eine Fahrradreise gemacht.

   [Ri⨯tig] [Falsch]

2. Christoph Brumme möchte einmal um die Welt fahren.

   [Richtig] [Falsch]

> Christoph Brumme wurde 1962 geboren. Er ist Schriftsteller und lebt in Berlin. Und er fährt Rad, viel und weit. 2007 ist er mit dem Fahrrad von Berlin nach Saratov in Russland gefahren – und zurück. Seit damals hat er diese Tour fünfmal gemacht, das sind 35.000 Kilometer. Wenn er diese Strecke noch einmal fährt, hat er eine Runde um die Welt gemacht.

Aussagen und Text
Lesen Sie zuerst die Aussagen und dann den Text. Welche Stelle im Text passt zu welcher Aussage? Suchen und markieren Sie im Text. Entscheiden Sie dann: Ist die Aussage richtig oder falsch?

8 Die Prüfungsaufgabe

Teil 2
Lesen Sie den Text und die Aufgaben 1–5. Sind die Aussagen richtig oder falsch? Kreuzen Sie an.

Beispiel

0 Michael Landhort war in Hamburg gern in der Schule.

[Richtig] [Fal⨯ch]

1 Michael besucht jetzt eine Schule in England.

[Richtig] [Falsch]

2 In der Schule hat Michael ein Einzelzimmer.

[Richtig] [Falsch]

3 Die Mitschüler lernen von Michael Deutsch.

[Richtig] [Falsch]

4 Früher waren 25 Schüler in Michaels Klasse.

[Richtig] [Falsch]

5 Michael ist froh, dass er diese Schule besuchen kann.

[Richtig] [Falsch]

Glück gehabt

Michael Landhort ist 18 Jahre alt und geht gern in die Schule. „Ich weiß, es ist uncool, wenn man das sagt, aber es ist so. Und zum ersten Mal nach 10 Jahren Schule in Hamburg fühle ich mich hier wirklich gut."

Seine Schule ist eine Privatschule in England, er wohnt auch in der Schule. Vor einem Jahr ist Michael mit seinem Vater nach Manchester gezogen. Am Anfang hat er alles schrecklich gefunden: ein kleines Zimmer zusammen mit einem Mitschüler, die Dusche und das WC auf dem Gang, kein eigenes Bad wie in Hamburg. Englisch ist inzwischen die zweite Sprache von Michael Lanhort geworden. „Ich träume in der Nacht auf Englisch, und ich habe keine Nachteile mehr gegenüber anderen Schülern." Und wenn die Schüler Projekte machen, dann kann Michael auch deutsche Informationen verwenden. Das ist gut für seine Mitschüler und sein Team.

In seiner Klasse sind nur 12 Schüler, nicht 25 wie zuletzt in Hamburg. „Ich muss hier viel für die Schule arbeiten", sagt er, „aber die Lehrer sind auch wie Kollegen. Wenn ich bei den Prüfungen gute Ergebnisse bekomme, dann ist das auch ein Erfolg für die Lehrer. Das war neu für mich." Aber Michael weiß auch, dass er Glück hat. „Ich kann diese Schule nur besuchen, weil mein Vater viel Geld hat. Dieses Glück haben nicht viele."

7 Gelernt ist gelernt

1

⊙
2.2

a Die Ferienplanung von Familie Gillhaus. Lesen Sie die Notizzettel und hören Sie das Telefongespräch. Ergänzen Sie die fehlenden Angaben.

Amelie
Karate-Kurs zum
Kennenlernen

Wann?
  Montag–Mittwoch

Uhrzeit: _____

Ort: _____
_____

Jonas
Spanisch für Anfänger

Wann?
_____
_____

Uhrzeit: _____
_____

Ort: Gymnasium

ich
Zumba für
_____

Wann?
_____
_____

Uhrzeit: 18–19 Uhr

Ort: Stadtpark

b Lesen Sie die Mails von Clara und Marie. Was war bei den Kursen positiv, was negativ? Markieren Sie in zwei Farben.

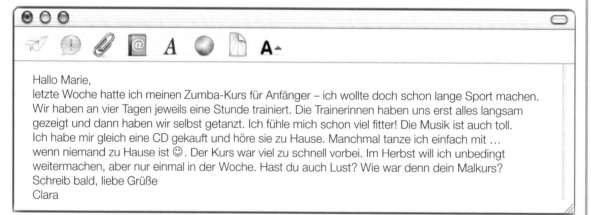

Hallo Marie,
letzte Woche hatte ich meinen Zumba-Kurs für Anfänger – ich wollte doch schon lange Sport machen. Wir haben an vier Tagen jeweils eine Stunde trainiert. Die Trainerinnen haben uns erst alles langsam gezeigt und dann haben wir selbst getanzt. Ich fühle mich schon viel fitter! Die Musik ist auch toll. Ich habe mir gleich eine CD gekauft und höre sie zu Hause. Manchmal tanze ich einfach mit … wenn niemand zu Hause ist ☺. Der Kurs war viel zu schnell vorbei. Im Herbst will ich unbedingt weitermachen, aber nur einmal in der Woche. Hast du auch Lust? Wie war denn dein Malkurs?
Schreib bald, liebe Grüße
Clara

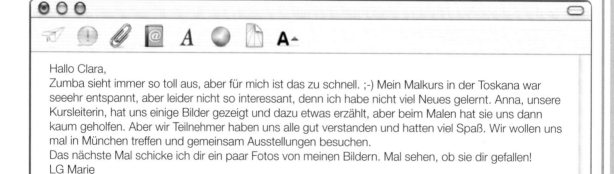

Hallo Clara,
Zumba sieht immer so toll aus, aber für mich ist das zu schnell. ;-) Mein Malkurs in der Toskana war seeehr entspannt, aber leider nicht so interessant, denn ich habe nicht viel Neues gelernt. Anna, unsere Kursleiterin, hat uns einige Bilder gezeigt und dazu etwas erzählt, aber beim Malen hat sie uns dann kaum geholfen. Aber wir Teilnehmer haben uns alle gut verstanden und hatten viel Spaß. Wir wollen uns mal in München treffen und gemeinsam Ausstellungen besuchen.
Das nächste Mal schicke ich dir ein paar Fotos von meinen Bildern. Mal sehen, ob sie dir gefallen!
LG Marie

c Zu wem passen diese Aussagen? Notieren Sie C für Clara oder M für Marie.

1. Der Kurs von ____ war nicht besonders gut.

2. ____ übt auch zu Hause.

3. ____ macht bald noch einen Kurs.

4. ____ hat nette Leute kennengelernt.

5. ____ war nicht zufrieden mit der Lehrerin.

6. ____ fühlt sich nach dem Kurs besser.

2

a Wie kann man Sprachen lernen? Ergänzen Sie die Mindmap.

mit einem Buch

Mit welchen Medien?　　　　　　　Mit wem?

Sprachen lernen

Wo?　　　　　　　Wann und wie oft?

an der Uni

> Sie möchten einen Text schreiben? Machen Sie sich vorher Notizen zum Thema, zum Beispiel mit einer Mindmap.

b Wie haben Sie Deutsch oder eine andere Sprache gelernt? Schreiben Sie sieben Sätze.

Wo ist das Problem?

3

a Sie müssen für eine Prüfung lernen. Welche Probleme haben Sie? Kreuzen Sie an. Was stört Sie noch? Ergänzen Sie und sprechen Sie danach mit Ihrem Partner / Ihrer Partnerin.

1. Sie haben nur wenig Zeit. ☐　　5. Es ist laut. ☐
2. Sie denken viel an anderes. ☐　　6. Sie haben Hunger. ☐
3. Jemand ruft Sie an. ☐　　7. Sie haben keinen Zeitplan. ☐
4. Sie haben wenig geschlafen. ☐　　8. _____ ☐

> *Stört es dich beim Lernen, dass ...?*

2.3

b Hören Sie die Radiosendung. Welche Probleme haben die Studenten? Notieren Sie.

Claudio　　　　　　Emily　　　　　　Giorgios

c Wer lernt wie? Arbeiten Sie mit Ihrem Partner / Ihrer Partnerin. Stellen Sie Fragen und ergänzen Sie die fehlenden Informationen.

A

Wer?	Henrik	Lili	Murat
Prüfung: welche?	Meister-prüfung		Deutsch-prüfung
Prüfung: wann?		morgen	Ende Juli
Was macht er/sie gut?	seit 10 Wochen lernen		
Was ist das Problem von ...?		sehr nervös sein	

Welche Prüfung macht Lili?

B

Was ist das Problem von ...?	nach 21 Uhr lernen		Grammatik nicht verstehen
Was macht er/sie gut?	mit ihren Eltern üben	mit Kartei-karten arbeiten	
Prüfung: wann?		in einer Woche	
Prüfung: welche?		Führer-schein	
Wer?	Henrik	Lili	Murat

Sie macht den Führerschein.

4

a Ergänzen Sie *denn* oder *weil*. Welches Bild passt zu den Sätzen?

A   **B**   **C**   **D**   **E**

1. _C_ Sven lernt zu wenig, _____ er lieber Freunde trifft.

2. ____ Er kann sich nicht konzentrieren, _____ er hat zu viel Kaffee getrunken.

3. ____ Sven hat Probleme, _____ er hat keinen Lernplan gemacht.

4. ____ Endlich lernt Sven ganz viel, _____ morgen die Prüfung ist.

5. ____ Er hat keine gute Note bekommen, _____ er hat zu wenig gelernt.

b Was passt zu Ihnen? Schreiben Sie die Sätze weiter.

1. Ich kann mich manchmal schlecht konzentrieren, weil _____ .

2. Abends kann ich (nicht) gut lernen, denn _____ .

3. Ich mache beim Lernen (keine) Pausen, denn _____ .

4. Vor Prüfungen bin ich (nicht) nervös, denn _____ .

5. Nach einer Prüfung fühle ich mich gut/schlecht, weil _____ .

c Lesen Sie die Mail von Mareike. Ergänzen Sie die passenden Formen von *sollte*.

Hallo Iris,

ich kann deine Lernprobleme gut verstehen, denn es geht mir oft ähnlich. Ich denke, ich _sollte_ dir ein

paar von meinen Tricks mailen ☺: Du _____ öfter mit anderen lernen, dann verstehst du den Stoff

vielleicht besser. Ihr _____ eine Lerngruppe bilden und euch regelmäßig treffen. Die Freunde aus der

Lerngruppe _____ dich unterstützen. So macht das Lernen mehr Spaß. Ich habe vor meiner Prüfung

einen Psychologen nach Tipps gefragt. Seine Ratschläge waren sehr interessant: Man _____ vieles

ausprobieren, denn so merkt man, wie man am besten lernt. Außerdem weiß ich jetzt, dass wir nicht so spät

lernen _____. Und wenn du dir Sachen besser merken willst, _____ du sie aufschreiben und oft

wiederholen. Man _____ auch kleine Pausen machen, denn sonst kann man sich nicht konzentrieren.

Also, viel Erfolg und viele Grüße!

Mareike

sollten • solltest • solltet • sollte • sollten • sollte • sollte • solltest

d Lesen Sie die Lernprobleme 1 bis 6 und ordnen Sie die Ratschläge zu. Formulieren Sie Ratschläge, wenn es noch keine gibt.

1 ____ *Ich kann mir Wörter schlecht merken.*

2 ____ *Wenn ich lernen muss, bin ich gleich müde.*

3 ____ *Ich kann mich nicht konzentrieren, weil es zu Hause zu laut ist.*

4 ____ *Vor der Prüfung muss ich zu viel lernen.*

5 ____ *Meine Freunde rufen mich die ganze Zeit an.*

6 ____ *Vor jeder Prüfung bin ich total nervös!*

A Sie sollten früh mit dem Lernen beginnen. Machen Sie sich einen Zeitplan, dann schaffen Sie alles.

B Sie müssen sich gut auf die Prüfung vorbereiten, dann haben Sie auch keine Angst. Denken Sie vor der Prüfung an positive Erlebnisse, das hilft.

C Schreiben Sie die Wörter auf Kärtchen und wiederholen Sie diese Wörter. Sie können die Kärtchen immer mitnehmen oder in Ihrem Zimmer aufhängen.

D *Sie sollten* _____

_____

E _____

_____

F _____

_____

5

a Welcher Prüfungstyp sind Sie? Kreuzen Sie an.

❶ In einigen Wochen haben Sie eine Prüfung.

✎ Sie machen einen Lernplan und lernen jeden Tag.

✏ Sie lesen jeden Tag etwas für die Prüfung. Eine Woche vorher lernen Sie täglich.

📚 Sie lernen regelmäßig. Mal mehr, mal weniger.

❷ Ihre Freunde sprechen über Prüfungen.

📚 Sie erzählen, welche Prüfung besonders leicht für Sie war.

✎ Sie möchten schnell das Thema wechseln.

✏ Das Gespräch langweilt Sie.

❸ Morgen haben Sie eine wichtige Prüfung.

✏ Sie lesen am Abend noch einmal den Stoff durch und gehen früh schlafen.

📚 Heute ist nicht morgen. – Sie treffen heute Abend Freunde und feiern zusammen.

✎ Sie lernen bis spät in der Nacht und schlafen schlecht.

❹ Nach der Prüfung denken Sie:

✎ Bestimmt habe ich eine schlechte Note.

📚 Mal sehen, ob ich eine 1 geschafft habe.

✏ Die Note ist mir eigentlich egal.

b Lesen Sie die Beschreibung zu Ihrem Prüfungstyp. Sind Sie einverstanden? Sprechen Sie mit Ihrem Partner / Ihrer Partnerin.

📚 Der lockere Typ

Sie haben keine Angst vor Prüfungen und schlechten Noten. In einer Prüfung können Sie endlich zeigen, was Sie alles wissen. Sie sollten aufpassen, dass Sie Prüfungen nicht zu leicht nehmen.

✏ Typ Normalo

Sie finden Prüfungen ganz normal. Für Sie gehören Prüfungen einfach zum Leben. Sie bereiten sich vor, aber Sie lernen nicht zu viel. Sie sollten beim Lernen mehr Spaß haben und sich über Ihre guten Ergebnisse freuen.

✎ Der gestresste Typ

Sie bereiten sich immer sehr gut vor, aber vor Prüfungen sind Sie sehr nervös. Glauben Sie an sich selbst! Sie sollten Prüfungen nicht soooo ernst nehmen! Zeigen Sie, was Sie können. Und wenn es mal nicht klappt, ist es auch nicht schlimm.

Beruf *Sprache*

6

2.4

a **Hören Sie die Aussagen über Berufe. Was ist richtig? Kreuzen Sie an. Manchmal sind zwei Antworten richtig.**

1. Marlene Schröder ist

   A Lehrerin für Deutsch als Fremdsprache.

   B Lehrerin für Fremdsprachen.

   C Lehrerin für Deutsch, Dänisch und Französisch.

2. In Marlene Schröders Beruf

   A muss man viele Sprachen sprechen.

   B lernt sie Menschen aus der ganzen Welt kennen.

   C erklärt sie viel mit Bildern und Pantomime.

3. Der Flugbegleiter Jonas Wellmann findet seinen Beruf

   A sehr gut.

   B zu stressig.

   C anstrengend und interessant.

4. Der Nachteil am Beruf von Frau Schröder

   A sind die Arbeitszeiten.

   B ist die Bezahlung.

   C ist die Unsicherheit: Sie weiß nie, ob sie nächstes Jahr noch einen Kurs hat.

5. Der Nachteil am Beruf von Jonas Wellmann

   A sind die Arbeitszeiten.

   B ist, dass er zu wenig Zeit in den fremden Städten hat.

   C ist die Bezahlung.

b **Kurz gesagt. Formulieren Sie wie im Beispiel.**

1. Jonas hat einen interessanten Beruf.

   Jonas' Beruf ist interessant.

2. Im Unterricht von Marlene gibt es viel Pantomime.

   *In*_____

3. Die Arbeitszeiten von Johanna sind flexibel.

   _____

4. Der Arbeitsplatz von Felix ist sehr modern.

   _____

5. Moritz hat einen Traumberuf: Er will Gebärdendolmetscher werden.

   _____

   _____

6. Tommy hat einen Laden. Der Laden ist am Marktplatz.

   _____

   _____

>
> **Genitiv bei Namen auf -z oder -x**
> Namen mit -*s*, -*z* und -*x* am Ende haben im Genitiv einen ':
> Beatri**x**' Lieblingssprache ist Spanisch.

7

a Zeit – Zeit – Zeit! Und Ihre Zeit? Schreiben Sie über sich.

1. Letzte Woche habe ich über vier Stunden _____

2. Am Samstag habe ich bis ... Uhr _____

3. Vor einem Jahr _____

4. Seit ... Wochen _____

5. An manchen Tagen _____

6. Um 23 Uhr _____

7. Nach dem Unterricht _____

8. Ab nächster Woche _____

b Ergänzen Sie die Zeitangaben.

_____Vor_____ (1) zwei Jahren habe ich meine Ausbildung als Hotelfachfrau abgeschlossen. _____ (2) sechs Monaten arbeite ich jetzt hier im Hotel. Ich arbeite an der Rezeption. Da ist es gut, dass ich so viele Sprachen spreche. Ich fange meistens _____ (3) 7 Uhr an und arbeite _____ (4) 16 Uhr. Das ist super, denn _____ (5) der Arbeit gehe ich gern noch zum Sport. Ich bin oft _____ (6) zwei Stunden im Fitnessstudio. _____ (7) manchen Tagen habe ich auch Spätschicht. Dann arbeite ich _____ (8) 16 Uhr _____ (9) 24 Uhr. Das finde ich nicht so gut.

> an • bis • nach • seit • über • um • von ... bis • vor

8

a Beschreiben Sie den Tagesablauf von Frau Wegele. Benutzen Sie die Ausdrücke unter den Bildern.

> *Frau Wegele steht um ein Uhr auf. Dann ...*

um ... Uhr

von ... bis ...

über ... Stunden

bis ... Uhr

um ... Uhr

nach ... Uhr

b Welchen Beruf hat Frau Wegele? Was vermuten Sie? Begründen Sie Ihre Meinung. Schreiben Sie drei bis fünf Sätze.

> *Ich glaube, Frau Wegele ist ...*

9

2.5

a *b, d* und *g* am Wortende. Lesen Sie die Sätze und markieren Sie: Wo spricht man „p", „t", und „k" und nicht „b", „d" oder „g"?

1. Gestern war Sonnta**g**.
2. Die Sonnta**ge** sind immer zu kurz.
3. Am Aben**d** ha**b**' ich nie Zeit. Das fin**d**' ich so blö**d**!
4. Ich ha**be** oft freie Aben**de**. Das fin**de** ich so schön!
5. Er fährt mit dem Motorra**d** in Urlau**b**. Den ganzen We**g**!
6. Wir benutzen die Motorrä**der** für unsere Urlau**be**. Weite We**ge** sind dann kein Problem.

b Lesen Sie die Sätze aus 9a laut.

c Notieren Sie drei Sätze mit Wörtern aus dem Kasten. Sie können auch andere Wörter ergänzen. Diktieren Sie die Sätze Ihrem Partner / Ihrer Partnerin. Wechseln Sie dann und kontrollieren Sie sich gegenseitig.

> am Abend • Frau Brog • Herr Briggs • Job • und • Freitag • er/sie mag • geben •
> Geld • Geburtstag • lieb • bald • bleiben • Montag • gehen • plötzlich • ...

Am Freitag geht Frau Brog am Abend ...

Generationenprojekte

10 a Lesen Sie die folgenden Überschriften für einen Zeitungsartikel. Sehen Sie auch das Foto an. Welche Informationen erwarten Sie in dem Artikel? Kreuzen Sie an und ergänzen Sie.

> ### Was Manager von Kindern lernen können
> Kreativität und neue Perspektiven –
> in einem Wochenendseminar lernen Manager von Kindern.

☐ 1. Wo ist das Seminar?

☐ 2. Wer lernt von wem?

☐ 3. Was lernen die Leute?

☐ 4. Wann gibt es Pausen?

☐ 5. Warum sind dort Kinder?

☐ 6. Wie alt sind die Kinder?

☐ 7. Wie viele Manager sind da?

☐ 8. Wie lange dauert das Seminar?

☐ 9. Was essen die Leute auf dem Seminar?

☐ 10. _____

☐ 11. _____

☐ 12. _____

b Lesen Sie den Text. Notieren Sie: In welchen Zeilen finden Sie Informationen zu den Fragen aus 10a?

„Mir ist wichtig, dass ich wichtig bin." – So stellt sich Paula eine Managerin vor. Als sie das sagt, lachen die „echten" Manager. Ob echte Managerinnen wirklich so sind? An
5 diesem Wochenende kann Paula das herausfinden.

Paula ist 12 Jahre alt und dieses Wochenende ist für sie ganz anders als sonst: Zusammen mit 15 anderen Kindern und Jugendlichen
10 zwischen 12 und 16 Jahren verbringt sie ein Wochenende mit 21 Managern aus der Wirtschaft in einem alten Fabrikgebäude in Berlin. In dem Workshop lernen Manager von Kindern. Die Kinder und Jugendlichen
15 zeigen den Managern, wie sie sich motivie-

ren, wie sie Probleme lösen und wie kreativ sie sind. Vor allem lernen die Manager von ihnen, wie man anders denkt und dass man nicht gleich „Nein" zu neuen Ideen sagen
20 sollte. Sie sehen, dass Kinder lockerer sind und Probleme ganz anders lösen.

Nach dem Kennenlernen spielen die Kinder Manager. Sie bekommen Zettel mit ganz realen Problemen der Manager. Zum Beispiel die
25 Frage, wie man besser für ein Produkt werben kann. Am Ende des Seminars haben die Kinder zu allen Fragen Antworten gefunden. Und die Manager? Die möchten die Kinder wiedersehen und das Seminar fortsetzen.

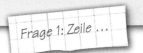
Frage 1: Zeile …

c Ergänzen Sie die Mail mit Informationen aus dem Text.

Hallo Tabea,

ich habe einen interessanten Text über ein Managerseminar gelesen. Stell dir vor: In dem Seminar

lernen _____ (1) von _____ (2). Das hört sich verrückt an, oder? Die Kinder sind

zwischen _____ und _____ (3) Jahre alt und an dem _____ (4) haben

21 _____ (5) teilgenommen. Das Seminar hat ein _____ (6) lang

gedauert und war in _____ (7). Die Kinder haben _____ (8) gespielt und

Lösungen für echte _____ (9) gefunden. Die Manager haben gelernt, dass man Probleme

sehr kreativ lösen kann. Sie sind jetzt offener für neue _____ (10).

Du kannst ja deinem Onkel mal von dem Seminar erzählen – der ist doch auch Manager! ☺

Viele Grüße

Sonnie

11 Was passt nicht? Streichen Sie durch.

1. Informationen: sammeln – recherchieren – suchen – machen
2. Berichte: hören – probieren – lesen – schreiben
3. Projekte: planen – beschreiben – lachen – machen
4. Präsentationen: halten – vorbereiten – sprechen – hören
5. Stichwörter: notieren – sammeln – ordnen – lösen

12 a Lesen Sie den Auszug aus einer Mini-Präsentation. Wo passen die Ausdrücke und Wendungen?

A Zum ersten Punkt: ... • B ich möchte euch ein Projekt vorstellen. •
C Ich fasse kurz zusammen: ... • D Ich habe das Projekt ... gewählt, weil ... • E Ich möchte im
Folgenden über drei wichtige Punkte sprechen. Erstens: ... • F Vielen Dank! Gibt es noch Fragen?

Liebe Kolleginnen und Kollegen, _B_ (1). ____ (2) es mir gut gefällt und weil ein Freund von mir
aktiv mitmacht. Nun, was ist das genau, das Projekt „Vorleser"?

____ (3) Wie funktioniert das Projekt? Zweitens: Warum gibt es dieses Projekt?
Und drittens, was ist wichtig bei diesem Projekt?

____ (4). Das Projekt ist ganz einfach: Junge Leute lesen Senioren ein oder zwei Mal pro Woche
eine Geschichte oder einen Text aus der Zeitung vor. Dann reden Sie mit ihnen und erfahren etwas
aus ihrer Welt. Beide Seiten lernen sich besser kennen.

...

____ (5): „Vorleser" heißt also nicht: Die Jungen unterhalten die Alten. Beide Seiten werden aktiv
und hören der anderen Seite zu.

____ (6)

b Hören Sie zur Kontrolle.

2.6

13 Sehen Sie die Zeichnung an. Was ist bei dieser Präsentation nicht gut? Notieren Sie und schreiben Sie Tipps für diese Situation.

Er liest alles von einem Zettel ab. → *Die Präsentation vorher üben. Nur Stichpunkte notieren.*
...

Das kann ich nach Kapitel 7

R1 Sehen Sie die Bilder an und schreiben Sie eine Antwort.

1. Warum spielen die Kinder nicht draußen?

2. Warum hat Oliver am Abend keinen Hunger?

3. Warum kommt Miriam zu spät zur Arbeit?

	☺☺	☺	😐	☹	KB	AB
✎ Ich kann etwas begründen.	☐	☐	☐	☐	4b, c, 5	4a, b

R2 Arbeiten Sie zu zweit. Beschreiben Sie das Problem. Ihr Partner / Ihre Partnerin gibt Tipps.

A

Problem:
– Prüfung in 10 Tagen
– Schon viel gelernt, aber nicht alles
– nächste Woche: Fußball-Trainingscamp mit Ihrem Verein → Sie sind im Zeltlager und trainieren Fußball, keine Zeit fürs Lernen.

Tipps: – weniger ist mehr: weniger Stoff lernen, aber das Wenige richtig gut lernen
– in den Pausen etwas Schönes machen (Eis essen, Freunde treffen)

B

Tipps: – Lernkärtchen schreiben
– Kärtchen mit zum Trainingscamp nehmen, immer ein paar Karten dabei haben und in Mini-Pausen draufschauen

Problem:
– Prüfung in 5 Tagen
– sehr viel Lernstoff
– Lernplan zeigt: Sie müssen jeden Tag 9 Stunden lernen ← am Morgen alles vergessen, immer müde

	☺☺	☺	😐	☹	KB	AB
💬 Ich kann Lernprobleme beschreiben und Ratschläge geben.	☐	☐	☐	☐	3, 4, 5	3a, c, 4c

R3 Schreiben Sie fünf bis acht Sätze über Ihren Berufsalltag oder den Berufsalltag von einem Freund / einer Freundin.

	☺☺	☺	😐	☹	KB	AB
✎ Ich kann kurze Texte über den Berufsalltag schreiben.	☐	☐	☐	☐	8	8b

Außerdem kann ich	☺☺	☺	😐	☹	KB	AB
👂 ... ein Gespräch über Termine und Orte verstehen.	☐	☐	☐	☐		1a
👂 ... eine Radioumfrage über Prüfungsstress verstehen.	☐	☐	☐	☐		3b
💬 ... über den Berufsalltag sprechen.	☐	☐	☐	☐		8a
💬✎ ... über Prüfungen sprechen und schreiben.	☐	☐	☐	☐	3, 4	3c
💬 ... über ein Generationenprojekt berichten.	☐	☐	☐	☐	11	
💬 ... eine Mini-Präsentation verstehen und machen.	☐	☐	☐	☐	12, 13	12a–b
📖 ... einen Test über Prüfungstypen verstehen.	☐	☐	☐	☐		5a–b
📖👂 ... Berichte über den Berufsalltag verstehen.	☐	☐	☐	☐	6b	6a
📖👂 ... eine Radioreportage verstehen.	☐	☐	☐	☐	10b	

Lernwortschatz Kapitel 7

Lernen und Prüfungen

die Arbeit, -en _____

in der Schule eine Arbeit schreiben _____

_____

die Disziplin (Singular) _____

die Erholung (Singular) _____

der Prüfer, – _____

das Semester, – _____

der Stoff (Singular) _____

der Trick, -s _____

der Zeitplan, -pläne _____

einen Zeitplan machen _____

_____

belohnen _____

ein|fallen _____

Mir fällt nichts ein. _____

_____

ein|halten _____

Du musst den Zeitplan einhalten. _____

_____

sich entspannen _____

kapieren _____

Ich habe das nicht kapiert. _____

_____

lösen _____

ein Problem lösen _____

motivieren _____

Das motiviert mich. _____

nach|fragen _____

verplanen _____

die Zeit verplanen _____

verschieben _____

gerecht sein _____

Prüfer müssen gerecht sein. _____

_____

konsequent _____

mündlich _____

nervös _____

Beruf Sprache

der Auftrag, -träge _____

der Gebärdendolmetscher, – _____

das Drehbuch, -bücher _____

die Kommunikation (Singular) _____

die Konferenz, -en _____

die Logopädin, -nen _____

der Tagesablauf, -abläufe _____

der Übersetzer, – _____

dolmetschen _____

ein Gespräch dolmetschen _____

_____

faszinieren _____

Sprachen faszinieren mich. _____

_____

abwechslungsreich _____

einsam _____

freiberuflich _____

gehörlos _____

Generationenprojekt

die Generation, -en _____

die Aushilfe, -en _____

Wir suchen eine Aushilfe für unser Café. _____

_____

der Preis, -e _____

Sie haben einen Preis bekommen. _____

_____

die Reportage, -n _____

der Wert (Singular) _____

eine Mini-Präsentation

die Einleitung, -en _____

der Hauptteil, -e _____

der Schluss (Singular) _____

die Gliederung, -en _____

der Punkt, -e _____

Zum ersten Punkt: ... _____

der Zuhörer, – _____

vor|tragen _____

Er trägt die Punkte viel zu schnell vor. _____
_____

andere wichtige Wörter und Wendungen

das Ding, -e _____

Viele Dinge kapiere ich nicht. _____
_____

der Doktor, -en _____

das Gericht, -e _____

im Gericht dolmetschen _____

die Gitarre, -n _____

die Grippe, -n _____

eine Grippe haben _____

das Standesamt, -ämter _____

auf dem Standesamt heiraten _____

die Untersuchung, -en _____

Ich hatte eine Untersuchung beim Doktor. _____
_____

begleiten _____

Ich begleite dich zum Doktor. _____

sorgen (für) _____

für gute Kommunikation sorgen _____

denn _____

Er ist nervös, denn er trinkt viel Kaffee. _____
_____

dringend _____

knapp _____

Die Zeit wird knapp. _____

komplett _____

tief _____

Atme tief durch! _____

ruhig _____

Mach ruhig einen freien Tag! _____

übrigens _____

wichtig für mich

_____

_____

_____

_____

Ergänzen Sie mindestens zwei passende Verben:

den Stoff _____

ein Problem _____

einen Zeitplan _____

Was gehört zu einer Präsentation? Ergänzen Sie die fehlenden Buchstaben.

E__N__EI__UN__　　　　　　　　H__UP__TEI__

SCH__U__ __　　　　　　　　　　G__IE__ER__NG

Z__H__ __ER　　　　　　　　　ZUS__ __ME__F__SS__ __G

8 Sportlich, sportlich!

1

Wortschatz

a Wie heißen die Gegenstände? Notieren Sie.

> die Schneeschuhe • die Yogamatte • der Reithelm • die Taucherbrille • der Gleitschirm • die Sportschuhe

_____   _____   _____

_____   _____   _____

Wortschatz

b Schreiben Sie die Wörter und Ausdrücke zu den passenden Bildern.

> Paragliding machen • tauchen • die Yogamatte • keine Angst vor Tieren haben •
> durch den Wald reiten • schwimmen • in der Luft sein • der Winter • über eine Mauer klettern •
> der Schnee • Muskeln anspannen und entspannen • die Taucherbrille • einen Yogakurs machen •
> das Pferd • Parkour machen • einen Helm tragen • mit Schneeschuhen wandern •
> die Welt unter Wasser ansehen • ohne Pause laufen • der Schirm

_____   _____   _____
_____   _____   _____
_____   _____   _____
_____   _____   _____

_____   _____   _____
_____   _____   _____
_____   _____   _____
_____   _____   _____

c Wählen Sie eine Aktivität aus 1b und schreiben Sie drei Sätze dazu. Ihr Partner / Ihre Partnerin rät die Sportart.

Das macht man …

2

a Welchen Sport machen die Personen? Hören Sie die Umfrage und kreuzen Sie an. Pro Person sind mehrere Antworten möglich.

2.7–11

	Ski fahren	Joggen	Volleyball	Parkour	Schwimmen
Person 1	☐	☐	☐	☐	☐
Person 2	☐	☐	☐	☐	☐
Person 3	☐	☐	☐	☐	☐
Person 4	☐	☐	☐	☐	☐
Person 5	☐	☐	☐	☐	☐

b Machen Sie ein Interview mit Ihrem Partner / Ihrer Partnerin. Notieren Sie Stichpunkte.

1. Welchen Sport machen Sie am liebsten? _____

2. Wann haben Sie das zum ersten Mal gemacht? _____

3. Warum gefällt Ihnen dieser Sport? _____

4. Wie oft machen Sie das? _____

5. Wie viel Geld brauchen Sie für Ihren Sport? _____

6. Welchen Sport finden Sie nicht schön? Warum? _____

c Welchen Sport macht Ihr Partner / Ihre Partnerin aus 2b am liebsten? Schreiben Sie einen Text mit den Antworten aus 2b. Kontrollieren Sie dann den Text von Ihrem Partner / Ihrer Partnerin.

Ich bin Fan von …

3

a Ihr Team / Ihr Sportler gewinnt oder verliert. Ordnen Sie die Ausdrücke zu.

Wortschatz

Wahnsinn! • Das war großartig! • So was Tolles! • Das kann doch nicht wahr sein. • Da kann man nichts machen. • Ich finde es echt schade. • So viel Pech! • So ein Glück. • Wir sind die Besten! • Oh, wie ist das schön! • Ein wunderbarer Sieg. • Die Niederlage tut weh! • Ich bin so unglücklich.

Wahnsinn! _____
_____
_____

So viel Pech! _____
_____
_____

_____
_____
_____

_____
_____
_____

b Sie sind total glücklich oder total enttäuscht. Schreiben Sie je eine SMS.

4 Zu welcher Ticker-Nachricht passen die Fan-Kommentare? Ergänzen Sie die fehlenden Teile.

	Los geht's! Ein Tipp? Viele sagen: Das Spiel gegen Frankreich wird schwer, aber Deutschland gewinnt 2:1.
	Allez!! Träumt wei__ __ __. Heu__ __ gewinnt Frankr__ __ __ __!

12. Min.	**Tor 0:1	Es ist passiert: Das erste Tor! Ein schöner Ball von rechts, Ribery ist schneller als Boateng. Keine Chance für Tormann Neuer!**
	SimbaII Kopf hoch! No__ __ si__ __ 79 Minuten Ze__ __.
	Allez!! Oh, wie i__ __ das schön. Wa __ __ sinn!

14. Min.	**Riesenchance für Gomez. Aber der Ball geht neben das Tor. So ein Pech!**
	SaSo Der schie__ __ heute bestimmt ein T __ __! Ganz si __ __ __ __!

45. + 1	**Halbzeit. Pause. Ein gutes Spiel. Für die deutsche Mannschaft ist noch alles möglich! Sie müssen schneller spielen! Reus kommt für Schürrle ins Spiel, Özil für Gomez. Das war heute nicht sein Tag.**
	Fan04 Feh__ __ __ vom Trai__ __ __! Schürrle wa__ gut. Er i__ __ viel be__ __ __ __ als Reus.

51. Min.	**Sie spielen jetzt wirklich schneller. Besonders die Franzosen. Leider!**
	**Tor 1:1	Herrliche Aktion: Lahm – Müller – Özil ... und der macht den Ball rein! Tor!**
	Camacho Özil!!! __ __ was T__ __ __es!

85. Min.	**Das Tor kommt spät. Aber vielleicht geht noch was? Deutschland kann noch gewinnen.**
90. + 2	**Es ist vorbei. 1:1, ein faires Spiel mit einem gerechten Ergebnis. Keine Mannschaft hat den Sieg verdient.**
	Allez!! Scha__ __, Frankreich hatte heu__ __ kein Gl__ __ __!
	SaSo Ke__ __ Sieg, w__ __ __ Gomez ni__ __ __ bis zum Schluss gesp__ __ __ __ hat.

5

a Was machen echte Fans? Ergänzen Sie *deshalb* oder *trotzdem*.

1. Der Eintritt ins Stadion ist ziemlich teuer, *trotzdem* kaufen Fans immer Tickets.

2. Fans unterstützen ihre Mannschaft, _____ fahren sie auch zu Spielen in andere Städte.

3. Fans singen beim Spiel Lieder, _____ ist die Stimmung im Stadion gut.

4. Das Spiel ist langweilig, _____ bleiben richtige Fans immer bis zum Schluss.

5. Fans sind stolz auf ihr Team, _____ tragen sie Schals von ihrem Verein.

6. Die Mannschaft hat verloren, _____ sind die Fans traurig.

7. Die Fans fahren enttäuscht nach Hause, _____ tragen sie ihre Schals und singen.

b Setzen Sie die Sätze fort. Verwenden Sie *deshalb* oder *trotzdem*.

1. Clemens ist im Winter gern in der Natur,   *deshalb mag er Schneeschuhwandern.* _____
   er / Schneeschuhwandern / mögen / .

2. Viele Leute haben Stress im Beruf,   _____
   sie / in der Freizeit / Yoga / machen / .

3. Paragliding ist ziemlich gefährlich,   _____
   ich / es / einmal / probieren / möchten / .

4. Parkour muss cool aussehen,   _____
   die Jugendlichen / Tricks / trainieren / .

5. Eva ist schon einmal vom Pferd gefallen,   _____
   sie / Reiten / ganz toll / finden / .

6. Ines hat schon zwei Tauchkurse gemacht,   _____
   sie / immer noch / ein bisschen / Angst / haben / .

c Welche Fortsetzung passt, a oder b? Kreuzen Sie an.

1. Roger Federer hat viele Fans,
   - [a] weil er der beste Tennisspieler ist.
   - [b] deswegen ist er der beste Tennisspieler.

2. Alain sieht alle Spiele von seiner Mannschaft St. Pauli an,
   - [a] trotzdem gewinnt sie nicht oft.
   - [b] aber leider gewinnt sie nicht oft.

3. Shaun White ist der beste Snowboarder,
   - [a] weil er sehr viel Geld verdient.
   - [b] deswegen verdient er sehr viel Geld.

4. Britta Steffen ist sehr bekannt,
   - [a] weil sie bei den olympischen Spielen gewonnen hat.
   - [b] deswegen hat sie bei den olympischen Spielen gewonnen.

5. Sabine Lisicki hat Spaß beim Tennisspielen,
   - [a] trotzdem muss sie jeden Tag viel trainieren.
   - [b] aber sie trainiert jeden Tag.

6. Die Reiterin Hannelore Brenner kann nicht laufen,
   - [a] weil sie eine Goldmedaille bei den olympischen Spielen gewonnen hat.
   - [b] trotzdem hat sie eine Goldmedaille bei den olympischen Spielen gewonnen.

6

a Lesen Sie die drei kurzen Zeitschriften-Artikel. Zu welchem Artikel passen die Ausdrücke? Ordnen Sie zu.

Wenn der Berg groovt

„Meine Lieder brauchen einen guten Text und einen guten Groove", sagt Hubert von Goisern. Er verbindet in seiner Musik Tradition und Rock. Sein jüngster Hit „Brenna tuats!" (= Es brennt) ist die neue Hymne der Goisern-Fans.

Der neue Ski-König

Fast 15 Jahre lang war Didier Cuche der beste Schweizer Skifahrer. In seiner letzten Saison hat er Konkurrenz im eigenen Team bekommen: Beat Feuz. Der alte Ski-König geht, auf den neuen müssen wir nicht warten: Der glückliche Beat ist schon da!

Das Leben der anderen

Was machen Schauspieler? Genau das, sie spielen das Leben von anderen. Martina Gedeck wurde im Film mit diesem Titel international bekannt. Sie spielt eine Schauspielerin in der DDR. Private und politische Probleme bringen ihr Leben durcheinander. Traurig, aber großartig!

1. _____   _____   _____

1. das Konzert in ... sehen   2. den Film sehen   3. der Lieblingssong   4. die Rolle so gut spielen
5. ein fairer Sportler sein   6. ein trauriger Film   7. im Kino weinen
8. tolle neue Lieder   9. super Stimmung machen   10. ein gefährlicher Beruf

b Suchen Sie weitere Informationen zu einer Person aus 6a. Schreiben Sie einen Eintrag für die Fan-Seite. Suchen Sie einen Nicknamen für sich selbst.

_____ (Ihr Nick)	_____ _____ _____ _____

7

a Was hören Sie? Ergänzen Sie *r* oder *l*.

2.12

1. _L_and   4. __edig   7. __und   10. b__aun

2. __egen   5. __aum   8. Ap__il   11. B__use

3. __eben   6. __egen   9. Ge__d   12. Be__uf

b Sprechen Sie die Wörter.

Auf zum Sport!

8

a Bringen Sie den SMS-Dialog in die richtige Reihenfolge.

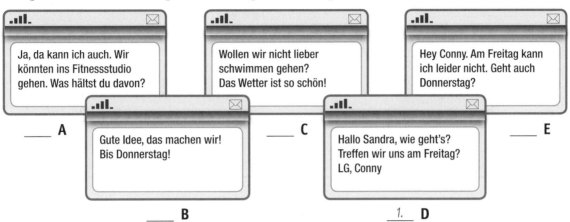

____ A

Ja, da kann ich auch. Wir könnten ins Fitnessstudio gehen. Was hältst du davon?

Wollen wir nicht lieber schwimmen gehen? Das Wetter ist so schön!

Hey Conny. Am Freitag kann ich leider nicht. Geht auch Donnerstag?

____ C

____ E

Gute Idee, das machen wir! Bis Donnerstag!

Hallo Sandra, wie geht's? Treffen wir uns am Freitag? LG, Conny

____ B

_1._ D

b Hören Sie das Telefongespräch. Richtig oder falsch? Kreuzen Sie an.

2.13

	richtig	falsch
1. Sandra muss am Donnerstag arbeiten.	☐	☐
2. Conny hat am Samstagvormittag Zeit.	☐	☐
3. Conny und Sandra gehen am Samstag ins Fitnessstudio.	☐	☐
4. Sandra holt Conny um zwei Uhr ab.	☐	☐
5. Sie fahren mit der Straßenbahn ins Fitnessstudio.	☐	☐

9

a Was gehört zusammen? Ordnen Sie zu.

1 ____ Darf ich etwas   A einen Ausflug machen.

2 ____ Ich habe da   B vorschlagen?

3 ____ Am Samstag kann   C am Samstag nicht.

4 ____ Das passt   D eine Idee!

5 ____ Leider geht es   E ich leider nicht.

6 ____ Wir könnten am Samstag F mir sehr gut.

b Ergänzen Sie den Dialog.

> Super, das ist eine gute Idee. • Ich glaube, ich habe keine Lust. •
> Ja, das passt mir auch. • Leider geht es am Dienstag nicht.

◆ Was denkst du: Sollen wir am Dienstag joggen gehen?

◇ (1)_____. Hast du am Mittwoch Zeit?

◆ (2)_____. Am Nachmittag?

◇ Ja, gut. Aber Joggen? (3)_____. Wollen wir nicht lieber eine Fahrradtour machen?

◆ (4)_____. Wir können zum See fahren und dort ein Picknick machen.

◇ Okay, das machen wir. Ich rufe dich noch mal an.

c **Lesen Sie die beiden E-Mails von Nina. Schreiben Sie die Antwort auf die erste Mail. Die zweite E-Mail von Nina muss zu Ihrer Antwort passen.**

Hallo _____,
Wir könnten am Samstag zum Reiten gehen. Hast du
Lust und Zeit? Oder hast du einen anderen Vorschlag?
Viele Grüße
Nina

Hallo _____,
ja, am Sonntag kann ich auch, aber erst ab vier Uhr. Wir
können gern auch Tennis spielen, das ist eine gute Idee.
Das haben wir schon lange nicht mehr gemacht ☺.
Bis dann!
Nina

Liebe Nina,
_____
_____
_____

10

a **Was passiert hier? Bilden Sie Sätze zu den Bildern.**

leiht • zeigt • erklärt • bringt

dem Gast • den Männern • die Übung • der Kundin • die Sportschuhe •
seiner Schülerin • die Verkäuferin • der Deutschlehrer • den Orangensaft •
die Kellnerin • der Trainer • das Buch

1. _____
_____

3. _____
_____

2. _____
_____

4. _____
_____

b **Schreiben Sie sechs Sätze. Achten Sie auf Dativ und Akkusativ.**

Wer?		Wem?	Was?
Conny	zeigen	die Touristen	das Restaurant
Herr Weber	geben	ihre Freundin	die Stadt
Der Lehrer	leihen	die Leute	das Fahrrad
Die Trainerin	schenken	die Studenten	ein Brief
Frau Korkmaz	empfehlen	ein Mann	ein Kaffee
Das Kind	bringen	seine Frau	die Grammatik
Clemens	schicken	die Familie	eine Sporthose
Ich	erklären	meine Eltern	der Helm

Conny leiht ihrer Freundin eine Sporthose.

c **Bringen Sie die Satzteile in die richtige Reihenfolge.**

> Lernen Sie Verben
> immer mit den möglichen
> Ergänzungen zusammen:
> *anbieten – dem Kunden ein*
> *Produkt anbieten*

1. den Weg zum Hochseilgarten / können / erklären / euch / wir / .

   Wir können euch den Weg zum Hochseilgarten erklären.

2. du / leihen / mir / kannst / deinen Helm / ?

   _____

3. der Verkäufer / Tickets für das Fußballspiel / anbieten / den Leuten / .

   _____

4. Ihnen / empfehlen / ich / kann / dieses Fitnessstudio / .

   _____

5. die Fotos vom Ausflug / ich / soll / dir / zeigen / ?

   _____

6. Conny / hat / geschenkt / die Sportschuhe / ihrer Freundin / .

   _____

d **Schreiben Sie fünf Sätze wie in 10c. Zerschneiden**
Sie die Sätze und vermischen Sie die Teile. Geben
Sie die Teile Ihrem Nachbarn / Ihrer Nachbarin.
Er/Sie ordnet sie zu einem korrekten Satz.

11 a **Wo passen die Pronomen? Markieren Sie.**

1. Sandra braucht neue Sportsachen. Wir schenken ↓ eine Sporthose zum Geburtstag.   ihr

2. Zwei Freunde wollten Informationen zum Hochseilgarten. Sandra hat sie gegeben.   ihnen

3. Wir haben die Regeln nicht verstanden. Der Trainer hat uns noch mal erklärt.   sie

4. Ich wollte so gern das Foto sehen. Sandra hat mir geschickt.   es

5. Die Schuhe passen super. Conny hat sie geliehen.   mir

b **Schon gemacht! Ergänzen Sie die Pronomen.**

1. Du musst Conny die Schuhe bringen.

   Ich habe  *sie ihr* schon gebracht.

2. Kannst du Peter die Nummer von Conny schicken?

   Ich habe _____ schon lange geschickt.

3. Hast du deinen Freunden schon den Weg erklärt?

   Ja, ich habe _____ schon erklärt.

4. Bringst du dem Trainer den Helm zurück?

   Ich habe _____ schon gestern zurückgegeben.

5. Du wolltest Sandra doch noch das Buch schenken.

   Ich habe _____ doch schon geschenkt.

ihn • sie • ihr • es • ihm • ihnen • ihm • ihn

Geocaching

12 a Lesen Sie die Forumsbeiträge und ordnen Sie die Überschriften zu.

A   Bald bin ich auch dabei.   B   Nicht so interessant ...   C   Ein tolles Hobby!

Suche			Home Forum Impressum

Daddel   ____

Als Kind musste ich immer mit meinen Eltern wandern gehen. Total langweilig war das ☹. Aber Geocaching finde ich richtig gut! Das macht Spaß und ist viel interessanter als normales Wandern. Und man ist in der Natur und bewegt sich. Man tut also auch noch etwas für seine Gesundheit ;-). Ich kann diese neue Freizeitbeschäftigung nur empfehlen!

Kekser   ____

Schon wieder ein neuer Trend! Ich habe das ein paar Mal mit Freunden gemacht. Ganz nett, aber es wird auch langweilig, wenn man es öfter macht. Wir haben auch mal Geocaching im Zoo gemacht. Für die Kinder war das toll. Aber ich gehe lieber wieder „normal" wandern.

Mimilo   ____

Ich habe schon öfter etwas über Geocaching gelesen und Freunde haben es auch schon gemacht. Das hört sich spannend an! Ich möchte das unbedingt bald mal ausprobieren, wenn ich mehr Zeit habe. Habt ihr Tipps für einen Anfänger? Danke schon mal! ☺

b Und Sie? Haben Sie schon mal Geocaching gemacht? Wollen Sie es ausprobieren oder eher nicht? Haben Sie ein anderes Hobby? Schreiben Sie einen kurzen Beitrag im Forum in 12a.

13 a Was machen Touristen? Ordnen Sie die Verben zu. Manchmal gibt es mehrere Möglichkeiten.

1. Sehenswürdigkeiten _recherchieren,_ _____
2. Tickets _____
3. im Hotel _____
4. ins Museum _____
5. Informationen _____
6. einen Reiseführer _____
7. einen Spaziergang _____

recherchieren •
bezahlen •
gehen •
besichtigen •
kaufen •
übernachten •
machen •
fotografieren

b Welche interessante Stadt haben Sie besucht? Schreiben Sie einen kurzen Text darüber. Die Ausdrücke in 13a helfen.

Letztes Jahr war ich in Barcelona. Ich habe dort viele Sehenswürdigkeiten ...

Das kann ich nach Kapitel 8

R1 Wie war das Spiel? Wählen Sie eine Situation und schreiben Sie eine E-Mail an einen Freund / eine Freundin.

○ ○ ○

Lieber Marco, heute war ich im Stadion. Das war großartig! ...

	☺☺	☺	😐	☹	KB	AB
✎ Ich kann Begeisterung, Hoffnung, Enttäuschung ausdrücken.	☐	☐	☐	☐	3d, 4	3–4

R2 Ergänzen Sie die Sätze.

1. Jakob mag Beachball, deshalb _____.
2. Gestern war ich krank, trotzdem _____.
3. Sport ist gut für die Gesundheit, deshalb _____.
4. Am Wochenende hat es geregnet, trotzdem _____.

	☺☺	☺	😐	☹	KB	AB
💬✎ Ich kann Folgen formulieren.	☐	☐	☐	☐	5b, c	5

R3 Arbeiten Sie zu zweit. Verabreden Sie sich für das Wochenende. Was wollen Sie zusammen unternehmen? Wann? Machen Sie Vorschläge und einigen Sie sich.

	☺☺	☺	😐	☹	KB	AB
💬 Ich kann Vorschläge machen und mich verabreden.	☐	☐	☐	☐	8d, 9	9

Außerdem kann ich	☺☺	☺	😐	☹	KB	AB
🎧 ... Umfragen zum Thema „Sport" verstehen.	☐	☐	☐	☐	1c	2b
🎧📖 ... einen Bericht über Geocaching verstehen.	☐	☐	☐	☐	12, 13	12a
💬✎ ... über Sport sprechen und schreiben.	☐	☐	☐	☐	1	1c, 2c
💬✎ ... über wichtige persönliche Gegenstände berichten.	☐	☐	☐	☐	2c	
💬 ... eine Sehenswürdigkeit vorstellen.	☐	☐	☐	☐	13b, c	
📖 ... schwierige Texte verstehen.	☐	☐	☐	☐	12	
📖✎ ... Fan-Kommentare verstehen und schreiben.	☐	☐	☐	☐	6	6
📖✎ ... Forumsbeiträge verstehen und schreiben.	☐	☐	☐	☐		12
✎ ... über den Aufenthalt in einer Stadt berichten.	☐	☐	☐	☐		13

Lernwortschatz Kapitel 8

Sport machen

der Fallschirm, -e _____

der Helm, -e _____

einen Helm tragen _____

die Kondition (Singular) _____

genug Kondition haben _____

die Luft (Singular) _____

in der Luft sein _____

der Muskel, -n _____

Parkour (ohne Artikel) _____

Parkour machen _____

Paragliding (ohne Artikel) _____

das Pferd, -e _____

der Schneeschuh, -e _____

mit Schneeschuhen wandern _____

die Sporthose, -n _____

der Sportschuh, -e _____

die Taucherbrille, -n _____

Yoga _____

die Yogamatte, -n _____

an|spannen _____

entspannen _____

die Muskeln anspannen und entspannen _____

_____

fit _____

nicht fit sein _____

fliegen _____

laufen _____

reiten _____

springen _____

Fallschirm springen _____

tauchen _____

sportlich _____

Fan sein

die Chance, -n _____

der Fan, -s _____

der Fanartikel, – _____

die Mannschaft, -en _____

der Sportler, – _____

das Spiel, -e _____

der Sieg, -e _____

die Niederlage, -n _____

der Star, -s _____

das Tor, -e _____

ein Tor schießen _____

das Vorbild, -er _____

Du bist mein Vorbild! _____

gewinnen _____

verlieren _____

berühmt _____

großartig _____

Das war großartig! _____

toll _____

So was Tolles. _____

wahr _____

Das kann doch nicht wahr sein! _____

_____

sich verabreden

der Vorschlag, Vorschläge _____

einen Vorschlag machen _____

Lust haben _____

Ich habe keine Lust. _____

halten _____

Was hältst du von der Idee? _____

_____

sich verabreden _____

Ich habe mich mit Ines verabredet. _____

_____

vorschlagen _____

Darf ich etwas vorschlagen? _____

einverstanden _____

Ich bin einverstanden. _____

die Temperatur, -en _____

das Versteck, -e _____

verstecken _____

einen Schatz verstecken _____

kaputtgehen _____

zu sein _____

Der Behälter ist zu. _____

versteckt _____

wasserdicht _____

Geocaching

die Aufgabe, -n _____

eine Aufgabe lösen _____

der Baum, Bäume _____

der Behälter, – _____

die Dose, -n _____

das Gelände (Singular) _____

das Grad, -e _____

Temperaturen von 35 Grad _____

die Höhle, -n _____

das Loch, Löcher _____

die Natur (Singular) _____

die Natur nicht kaputtmachen _____

_____

die Pflanze, -n _____

das Plastik (Singular) _____

ein Behälter aus Plastik _____

der Schatz, Schätze _____

andere wichtige Wörter und Wendungen

das Tier, -e _____

keine Angst vor Tieren haben _____

der Wald, Wälder _____

versuchen _____

Versuchen Sie es ohne Wörterbuch! _____

_____

auf _____

Auf zum Sport! _____

deshalb _____

trotzdem _____

wichtig für mich

_____

_____

_____

Welche Sportarten macht man draußen? Notieren Sie zehn Sportarten.

_____

_____

_____

Was passt zusammen? Ordnen Sie zu.

1. einen Helm ___	4. einen Kurs ___	A reiten	D machen
2. die Muskeln ___	5. über eine Mauer ___	B schießen	E anspannen
3. durch den Wald ___	6. ein Tor ___	C klettern	F tragen

9 Zusammen leben

1

a So wohne ich. Ergänzen Sie.

1. In unserem _Gebäude_ gibt es über 100 Wohnungen. Die meisten Leute sehe ich fast nie.

   Komisch, wenn man seine _____ nicht kennt.

2. Auf dem Wasser wohnen – das ist natürlich sehr speziell. Unser _____ ist aber genauso groß wie unsere alte Wohnung.

3. Wir leben auf dem Land und haben viele Tiere. Das Leben auf dem _____ bedeutet viel Arbeit, aber es ist toll.

4. In meiner Stadt gibt es 4 Millionen _____. Es gibt Kinos, Restaurants, Theater und vieles mehr.

5. Zum Einkaufen fahren wir mit dem Boot. Auf unserer kleinen _____ gibt es keinen Supermarkt.

6. Unser Haus ist alt und groß. Wir haben hohe _____ und viel _____. Das ist besonders für die Kinder schön.

7. Ich möchte nicht in der Stadt wohnen. In unserem _____ wohnen nicht viele Leute. Jeder kennt jeden. Das finde ich toll.

8. Meine Wohnung ist nicht so groß, sie hat nur 38 _____. Aber mir gefällt das.

> Nachbarn • Einwohner • Insel • Platz • Bauernhof • Hausboot • Gebäude • Räume • Quadratmeter • Dorf

b Was ist wo? Verbinden Sie.

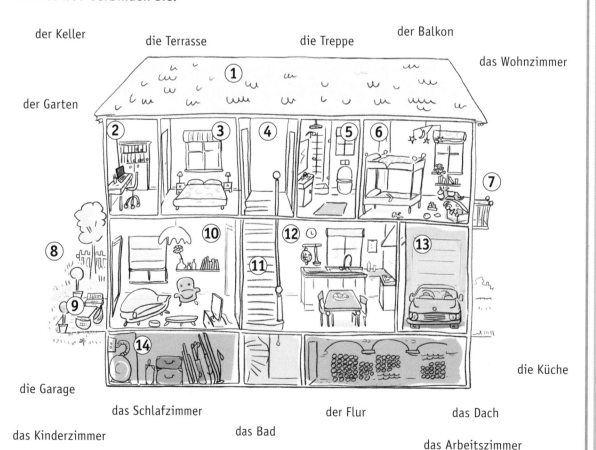

der Keller   die Terrasse   die Treppe   der Balkon

das Wohnzimmer

der Garten

die Küche

die Garage

das Schlafzimmer   der Flur   das Dach

das Kinderzimmer   das Bad

das Arbeitszimmer

2

a Wohnorte. Lesen Sie den Text und markieren Sie, wo die Personen wohnen. Sind die Aussagen unten richtig oder falsch? Kreuzen Sie an.

Wohnträume

Manche wohnen in der Stadt und träumen von einem Leben auf dem Land,
andere leben in der Natur und vermissen das Stadtleben mit Kino, Theater, Kultur.
Trotzdem sind viele mit ihrer Wohnsituation zufrieden. Aber lesen Sie selbst:

Henry Fichtner

Uns gefällt das Leben am Stadtrand. Wir haben einen Garten und die Kinder können mit ihren Freunden draußen spielen. Hier leben viele Familien. Schön ist auch, dass wir alle Nachbarn gut kennen. Im Sommer grillen wir oft zusammen. Es ist nicht so anonym wie mitten in der Stadt. Ein Nachteil ist, dass ich im Zentrum arbeite und jeden Tag 45 Minuten ins Büro fahren muss.

Karla Paulsen

Ich lebe gern auf dem Land. In unserem Dorf ist es sehr ruhig. Aber ich mag das. Den Stress in der Stadt brauche ich nicht. Die Natur ist wichtig für mich und auf dem Land sind alle Jahreszeiten schön. Leider wohnen meine Kinder jetzt in der Stadt, 80 Kilometer entfernt. Jetzt sehen wir uns nicht mehr so oft, das ist schade. Und wenn ich mal ins Kino gehen will, dann muss ich eine halbe Stunde mit dem Auto fahren.

Lukas Seidler

Ich wohne mitten im Zentrum in der Stadt. Das ist toll, ich kann alles zu Fuß machen oder mit dem Fahrrad. Es ist auch gar nicht so anonym, wie manche Leute immer denken. Ich kenne meine Nachbarn ganz gut. Trotzdem weiß nicht jeder gleich alles über mich, wie im Dorf. Die Mieten sind hier natürlich viel höher als auf dem Land. Manchmal stören mich auch die Autos und der Lärm. Dann träume ich auch von einem Haus auf dem Land.

		richtig	falsch
Am Stadtrand:	1. Henry Fichtner wohnt gern am Stadtrand.	☐	☐
	2. Man weiß nicht viel über die Nachbarn.	☐	☐
	3. Henry Fichtners Weg zur Arbeit dauert nicht lang.	☐	☐
Auf dem Dorf:	4. Auf dem Dorf gibt es nicht so viel Stress wie in der Stadt.	☐	☐
	5. Die Kinder von Karla Paulsen wohnen auch auf dem Land.	☐	☐
	6. Karla Paulsen mag die Natur.	☐	☐
Im Zentrum:	7. Wenn man in der Stadt wohnt, braucht man ein Auto.	☐	☐
	8. In der Stadt bezahlt man mehr Miete als auf dem Land.	☐	☐
	9. Manchmal ist es Lukas Seidler in der Stadt zu laut.	☐	☐

b Machen Sie ein Interview mit Ihrem Partner / Ihrer Partnerin. Wo wohnt er/sie? In der Stadt, am Stadtrand oder auf dem Land? Was gefällt ihm/ihr, was nicht? Machen Sie Notizen und berichten Sie im Kurs.

Die lieben Nachbarn?

3 Sehen Sie die Bilder an und beschreiben Sie die Situation in einer E-Mail.

Ach, Herr Dr. Müller!

Liebe Paula,
ich muss dir unbedingt vom Wochenende berichten. Am Samstag haben wir …
Das war toll, denn …
Plötzlich …, weil …
Aber dann …
Lustig, oder? Ich hoffe, …
Viele Grüße
…

4

Wortschatz

2.14–16

a Hören Sie die Dialoge. Welcher Dialog passt zu welchem Bild?

A _____

der Müll
die Mülltonne

B _____

das Feuer
eng
die Feuerwehr
der Kinderwagen

C _____

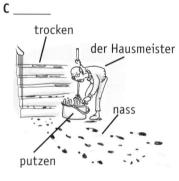

trocken
der Hausmeister
nass
putzen

2.14–16

b Hören Sie noch einmal. Welche Ausdrücke hören Sie in welchem Dialog?

1. Jetzt ist schon wieder … 1 ☐ 2 ☐ 3 ☐

2. Das habe ich nicht gewusst. 1 ☐ 2 ☐ 3 ☐

3. Das wollte ich nicht. 1 ☐ 2 ☐ 3 ☐

4. Das tut mir schrecklich leid. 1 ☐ 2 ☐ 3 ☐

5. Ich finde es nicht gut, dass … 1 ☐ 2 ☐ 3 ☐

6. Na gut, ist nicht so schlimm. 1 ☐ 2 ☐ 3 ☐

7. Das kommt nicht mehr vor. 1 ☐ 2 ☐ 3 ☐

8. Schon okay. 1 ☐ 2 ☐ 3 ☐

9. Ich möchte mich entschuldigen. 1 ☐ 2 ☐ 3 ☐

10. Das geht wirklich nicht. 1 ☐ 2 ☐ 3 ☐

c Frau Sammer beschwert sich. Ordnen Sie den Dialog und hören Sie zur Kontrolle.

2.17

_____ A Gut, das verstehe ich natürlich. Das kommt nicht mehr vor. Ich schließe abends jetzt auch ab.

_____ B Kein Problem. Sie wohnen ja erst seit drei Wochen hier, da kann man nicht alles wissen.

_____ C Ja, das machen wir immer so. Man fühlt sich dann sicher, verstehen Sie?

_____ D Entschuldigen Sie, können Sie bitte am Abend ab 21 Uhr immer die Haustür abschließen? Die war gestern schon wieder offen.

_____ E Ach, wir müssen die Tür abschließen? Das habe ich nicht gewusst.

d Lesen Sie die Beschwerden. Welche Antwort passt? Kreuzen Sie an.

1. ◆ Ich finde es nicht gut, wenn du bis abends um 11 Uhr Gitarre übst. Ich konnte nicht schlafen.
   a ◆ Vergessen wir das.   b ◆ Das wollte ich nicht.

2. ◆ Entschuldigen Sie, hier darf der Kinderwagen nicht stehen. Aber dort ist es nicht so eng.
   a ◆ Das habe ich nicht gewusst.   b ◆ Schon okay.

3. ◆ Sie müssen einmal im Monat das Treppenhaus putzen. Das haben Sie vergessen.
   a ◆ Das tut mir schrecklich leid.   b ◆ Na gut, ist nicht so schlimm.

4. ◆ Ich finde es nicht gut, dass Sie die Plastikflaschen in die normale Mülltonne werfen.
   a ◆ Das finde ich nicht gut.   b ◆ Das kommt nicht mehr vor.

Gute Nachbarschaft

5 Sagen Sie es höflicher. Formulieren Sie Bitten mit _könnte_.

> **Bitte!**
> Bitten und Aufforderungen sind höflicher mit „bitte".
> Gibst du mir **bitte** das Wasser?
> Sei **bitte** leise!

1. Hilf mir! _Könntest du mir helfen?_ _____

2. Könnt ihr mir die Tür aufmachen? _____

3. Geben Sie mir ein Ei! _____

4. Können Sie mir Ihr Fahrrad leihen? _____

5. Ruf mich an! _____

6. Tragt ihr mir das Paket nach oben? _____

6 Was sagen die Personen? Formulieren Sie für jedes Bild drei höfliche Bitten.

Bild 1: Könntest du eine Suppe für mich kochen?

Meine erste Woche

7

Wortschatz

a Wörter zum Thema „Wohnen". Ergänzen Sie die Erklärungen.

> kleine Wohnung • Treppen benutzen • wohnen •
> elektrische Geräte • mit Möbeln • schön machen • Geld bezahlen

renovieren   Eine Wohnung _____ (1): Wände wieder weiß machen und kleine

Reparaturen machen.

vermieten   Jemand erlaubt, dass fremde Menschen in seiner Wohnung _____ (2).

Dafür bekommt er Geld.

mieten   In einer Wohnung wohnen, die einer anderen Person gehört, und dafür _____

_____ (3).

der Strom   Das braucht man für _____ (4).

der Aufzug   In einem Hochhaus mit Aufzug muss man nicht die _____ (5).

das Apartment   Eine _____ (6) mit nur einem oder zwei Zimmern.

möbliert   Eine Wohnung, die man _____ (7) mieten kann.

b Wohnungstausch. Hören Sie. Wo und wie hat die Familie Urlaub gemacht?

2.18

Wo? _____   Wie? _____

c Hören Sie noch einmal. Welche Aussage passt zum Thema „Urlaub im Hotel", welche zum Thema „Wohnungstausch"? Kreuzen Sie an.

2.18

	Hotel	Wohnungstausch
1. Der Urlaub war sehr schön, aber auch sehr teuer.	☐	☐
2. Die Unterkunft hat nichts gekostet, nur eine kleine Gebühr.	☐	☐
3. Wir haben eine nette Familie kennengelernt.	☐	☐
4. Das Zimmer war immer sauber und ordentlich.	☐	☐
5. Man hat vor dem Urlaub viel Arbeit.	☐	☐
6. Wir mussten viel putzen.	☐	☐
7. Ich habe ein paar private Sachen weggeräumt und musste sie nach dem Urlaub wieder auspacken.	☐	☐
8. Es war so erholsam – wir mussten uns um nichts kümmern!	☐	☐

d Hören Sie das Gespräch noch einmal zur Kontrolle.

2.18

e Möchten Sie Ihre Wohnung tauschen? Schreiben Sie vier bis sechs Sätze.

Tauschen? – Ja!   Tauschen? – Nein!
Wohin?   Warum nicht?
Wie lange?   Wo machen Sie Urlaub?
Wann?   Wie: Hotel, Ferienwohnung, Camping, ...?
Wie soll die andere Wohnung sein?

8

a Ist das ein Mal passiert oder öfter? Lesen Sie die Sätze und kreuzen Sie an.

ein Mal   öfter

1. Ich bin letztes Jahr nach Hannover gezogen.   ☐   ☐

2. Jeden Morgen bin ich zum Bäcker gegangen.   ☐   ☐

3. Letzte Woche habe ich meinen Schlüssel vergessen.   ☐   ☐

4. Abends habe ich oft Sport gemacht.   ☐   ☐

5. An den Wochenenden habe ich meine Freunde in Kassel besucht.   ☐   ☐

6. Mit 16 Jahren wollte ich in einer großen Stadt leben.   ☐   ☐

> *als*
> Bei längeren einmaligen Zeiträumen in der Vergangenheit steht *als*.
> **Als** ich in Amerika war, hatte ich …
> **Als** ich 14 Jahre alt war, wollte ich …
> **Als** ich ein Kind war, musste ich …

b Ergänzen Sie jetzt in den Sätzen *als* oder *wenn*. Ihre Lösungen in Aufgabe 8a helfen.

1. _____ ich letztes Jahr nach Hannover gezogen bin, war alles neu für mich.

2. _____ ich zum Bäcker gegangen bin, habe ich immer ein Brötchen gekauft.

3. _____ ich letzte Woche meinen Schlüssel vergessen habe, hat mir mein Nachbar geholfen.

4. _____ ich abends Sport gemacht habe, hatte ich danach gute Laune.

5. _____ ich an den Wochenenden meine Freunde in Kassel besucht habe, hatten wir viel Spaß.

6. _____ ich 16 Jahre alt war, wollte ich in einer großen Stadt leben.

c Ergänzen Sie *als* oder *wenn*.

1. _____ wir das erste Mal von Wohnungstausch gehört haben, fanden wir das interessant.

2. Immer _____ wir in Urlaub fahren, tauschen wir unsere Wohnung.

3. Oft lernen wir nette Leute kennen, _____ wir den Wohnungstausch planen.

4. _____ wir zum ersten Mal unsere Wohnung mit einer anderen Familie getauscht haben, war das sehr komisch. Jetzt finden wir es ganz normal.

5. Wir haben immer gute Erfahrungen gemacht. Aber _____ meine Frau letztes Jahr im Urlaub sehr krank geworden ist, war es kompliziert. Wir mussten früher nach Hause zurück, aber in der Wohnung war natürlich noch die andere Familie.

d Schreiben Sie die Sätze in der Vergangenheit mit *als*. Achten Sie auf die Wortstellung.

1. als / Samuel / in der Schule / sein / , // nicht / studieren / er / wollen / .

2. seine Eltern / mit ihm / nach Berlin / ziehen / , // als / er / 16 Jahre alt / sein / .

3. als / er / mit der Schule / fertig sein / , // eine Lehre / er / anfangen / .

4. er / in eine eigene Wohnung / ziehen / , // als / er / mit der Lehre / fertig sein / .

5. als / er / 22 Jahre alt / sein / , // mit dem Chemiestudium / anfangen / .

> *1. Als Samuel in der Schule war, wollte er nicht …*

e Und Sie? Schreiben Sie Sätze.

Wenn ich …

1. in einer neuen Stadt sein

2. eine Frage haben

3. etwas nicht verstehen

Als ich …

4. zum ersten Mal umziehen

5. eine neue Adresse haben

6. den Schlüssel verlieren

9

a Suchen Sie die Stadt Dresden auf der Deutschlandkarte vorne im Buch.

b Lesen Sie die Informationen über Dresden und ergänzen Sie das Plakat. Benutzen Sie ein Wörterbuch.

Dresden – Tourismus

Frauenkirche: Bauzeit: 1726 bis 1743, viele Besucher, viele Konzerte – **Semperoper:** Architekt: Gottfried Semper, 3 Mal neu gebaut seit 1838, bekanntes Opernhaus – **Neue Synagoge:** Bauzeit: 1998–2001, moderner Bau – **Kunsthofpassage:** 5 verschiedene Höfe im Stadtteil „Neustadt", viele Restaurants und Cafés, alles kreativ und bunt – **Gelände am Königsufer:** Open-Air-Kino und Konzertbühne für internationale Musikstars

Dresden

Bundesland: Sachsen **Fläche:** 328,3 km² **Einwohner:** 529.781 (31. Dez. 2011)

Frauenkirche: Zwischen _____ und _____ (1) hat Georg Bähr das Gebäude gebaut. Nach dem 2. Weltkrieg war die Kirche nur noch ein Berg aus Steinen. 2005 hat man sie wieder aufgebaut. Heute gibt es hier _____ _____ (2) und viele Veranstaltungen (Literaturabende, Konzerte, Gottesdienste ...).

In der **Kunsthofpassage** nördlich vom Stadtzentrum gibt es _____ (3) verschiedene Höfe mit vielen Galerien und Läden. Hier ist alles _____ (4) und bunt. Hier kann man ganz besondere und verrückte Dinge kaufen und in vielen _____ _____ (5) Pause machen.

Semperoper: Die Semperoper ist ein _____ (6) Opernhaus. Ihren Namen hat die Oper von ihrem Architekten: _____ _____ (7). Seit _____ (8) musste man das Gebäude _____ (9) Mal neu bauen. Feuer hat es zwei Mal kaputt gemacht. Das heutige Gebäude war 1985 fertig.

Wichtige Wörter:
– der Weltkrieg
– die Synagoge

Neue Synagoge: Ein Architekten-Team hat die neue Synagoge _____ (10) gebaut. Der _____ _____ (11) hat den Preis „Beste Europäische Architektur 2002" bekommen.

Königsufer: Hier kann man ...

Himmelsrichtungen:
Die Stadt liegt im Norden/ Osten/... von Deutschland. Ich wohne südlich/westlich/... vom Zentrum.

Norden
Westen — Osten
Süden

10

2.19

a Satzakzent: Hören Sie die Sätze und markieren Sie die Akzente.

1. Wir putzen die Wohnung.
2. Wir putzen heute Nachmittag die Wohnung.
3. Wir haben heute Nachmittag die Wohnung geputzt.
4. Wir haben heute | den ganzen Nachmittag | wieder einmal die Wohnung geputzt.

2.19

b Hören Sie die Sätze noch einmal und summen Sie mit.   *1. hm hm-hm hm HM-hm.*

c Wählen Sie einen Satz und summen Sie ihn Ihrem Partner / Ihrer Partnerin vor. Er/Sie rät.

1. Ich mache dieses Jahr einen Wohnungstausch.
2. Ich möchte nie wieder einen Wohnungstausch machen.
3. Ich möchte nächstes Jahr | mit den Kindern | einen Wohnungstausch machen.

Die Deutschen und ihre Haustiere

> **-chen**
> Substantive mit der
> Endung *-chen* haben
> immer den Artikel *das*.
> Kurze Substantive mit
> Vokal bekommen meis-
> tens einen Umlaut:
> *die Tasse – das Tässchen*

11

a Sagen Sie es anders.

1. die kleine Katze   *das Kätzchen*   4. das kleine Haus _____

2. der kleine Hund _____   5. der kleine Hut _____

3. der kleine Tisch _____   6. das kleine Zimmer _____

Wortschatz **b** Lesen Sie die Anzeigentexte. Was ist das Ziel dieser Pinnwand?

1. Haustiere verkaufen   3. weniger Haustiere in der Stadt
2. für Tiere ein neues Zuhause finden   4. mehr Haustiere in der Stadt

---

Tierheim Stadtmitte e.V.
Wer will mich?
Kontakt: 06225–23 23 23 (Frau Zeitz)

2

„Minifant" ist eine
ältere Dame: Sie ist
schon 17 Jahre alt –
aber sie hat noch viele
Jahre vor sich! Diese Schildkröte ist
sehr pflegeleicht und sie läuft gern frei
in der Wohnung herum.

1

Ginger ist ein lieber Familien-
hund. Leider ist seine Besit-
zerin jetzt schwer krank und
kann sich nicht mehr um ihn
kümmern. Ginger ist 5 Jahre
alt und seit September bei uns im
Tierheim. Sie suchen einen kinderlieben,
ruhigen Hund? Ginger wartet auf Sie!

4

„Butzi" hat seine Freundin
verloren und sucht ein neues
Zuhause. Am liebsten möchte
er jemanden, der schon einen
Nymphensittich oder andere
Vögel hat – Butzi ist nicht
gern alleine.

3

Unser Meerschweinchen
Judy hat Junge bekom-
men! Nun suchen wir
einen guten Platz für die süßen Kleinen.

c Lesen Sie die Beschreibungen. Welches Tier aus 11b passt zu wem? Eine Person/Familie findet kein passendes Tier und zwei Anzeigen aus 11b bleiben übrig.

A *Familie mit zwei Kindern – alle wollen ein Haustier, aber die Tochter hat eine Allergie auf Tierhaare.* _____

B *Familie mit einem Kind sucht ein kinderliebes Haustier, gern ein größeres Tier. Sie machen gern Ausflüge.* _____

C *Familie mit Bauernhof sucht Pferde, Katzen, Schwäne und Hühner für einen kleinen Kinderzoo am Stadtrand.* _____

12

a Haben Sie das gewusst? Was passt zusammen?

1. Nur der Mensch _____
2. Hunde _____
3. Elefanten _____
4. Ein Pferd _____

A können keine Farben sehen.
B haben vier Knie.
C kann lächeln.
D kann im Stehen schlafen.

b Vergleichen Sie Ihre Antworten mit der Lösung. Was hat Sie überrascht? Was nicht? Warum? Schreiben Sie drei Sätze.

1C, 2A, 3B, 4D

Mich hat überrascht, dass ... Ich habe gewusst, ...

Tiergeschichten

13

a Lesen Sie den Text. Verbinden Sie die markierten Sätze mit *und, weil* oder *wie*.

> ┌ schwarz
> Lina, 6, Katze, hat in den letzten 17 Monaten 240 km von Braunschweig bis nach Berlin zurückgelegt. Niemand weiß: Wie hat die Katze den Weg gefunden? (1) Im Herbst 2010 hat man Lina von Berlin nach Braunschweig gebracht. Das Tierheim in Berlin war voll. (2) Jetzt ist sie wieder zurück in Berlin. Sie ist gesund und munter. Sie wartet auf ein neues Zuhause. (3)

1. Niemand weiß, wie ...
2. ...

b Lesen Sie den Text noch einmal. Wo können Sie Adjektive ergänzen? Markieren Sie.

c Schreiben Sie den Text mit Adjektiven. Verwenden Sie auch die Wörter *dann* und *plötzlich* und variieren Sie die Satzanfänge.

Lina, eine schwarze Katze, hat ... Plötzlich war Lina ...

14 Schreiben Sie eine Geschichte zu den Bildern.

Wortschatz

die Kuh
der Zaun
das Glas
der Tierarzt

springen
eine Pause machen

die Terrassentür

das Spiegelbild

Das kann ich nach Kapitel 9

R1 Arbeiten Sie zu zweit. Schreiben Sie einen Dialog zu der Situation und spielen Sie ihn vor.

		☺☺	☺	😐	☹	KB	AB
✎	Ich kann mich beschweren und mich entschuldigen.	☐	☐	☐	☐	3–4	4

R2 Hören Sie die Bitten. Was ist höflich, was sehr höflich? Kreuzen Sie an.

2.20

	höflich	sehr höflich		höflich	sehr höflich
Bitte 1	☐	☐	Bitte 3	☐	☐
Bitte 2	☐	☐	Bitte 4	☐	☐

		☺☺	☺	😐	☹	KB	AB
👂	Ich kann höfliche Bitten verstehen.	☐	☐	☐	☐	5	

R3 Ergänzen Sie die Sätze mit *als* oder *wenn*.

1. Als ich 6 Jahre alt war, ...
2. Ich war glücklich, als ich ...
3. Immer wenn ich mit meinen Eltern im Urlaub war, ...
4. ..., war ich zum ersten Mal in ...
5. ..., musste ich immer lachen.
6. ..., habe ich jemand gefragt.

		☺☺	☺	😐	☹	KB	AB
💬	Ich kann über Vergangenes berichten.	☐	☐	☐	☐	8d, 9	8e

Außerdem kann ich	☺☺	☺	😐	☹	KB	AB
👂 ... Erfahrungsberichte verstehen.	☐	☐	☐	☐	2a	7b
👂 ... ein Gespräch über Haustiere verstehen.	☐	☐	☐	☐	11	
💬✎ ... auf Informationen reagieren.	☐	☐	☐	☐	12c	12
💬✎ ... um etwas bitten.	☐	☐	☐	☐	5–6	5–6
💬 ... über Haustiere sprechen.	☐	☐	☐	☐	11c, 12	
📖 ... Erfahrungsberichte verstehen.	☐	☐	☐	☐	7	
📖✎ ... einen Zeitschriftartikel verstehen.	☐	☐	☐	☐	12b	2a
✎ ... eine Situation in einer E-Mail beschreiben.	☐	☐	☐	☐		3
✎ ... einen kurzen Bericht schreiben.	☐	☐	☐	☐		7e
✎ ... eine kurze Geschichte schreiben.	☐	☐	☐	☐	14	14
✎ ... eine Geschichte korrigieren.	☐	☐	☐	☐	13	13

Lernwortschatz Kapitel 9

Wohnformen

das Apartment, -s _____

der Bauernhof, -höfe _____

das Dorf, Dörfer _____

der Einwohner, – _____

Berlin hat 4 Millionen Einwohner. _____

_____

die Ferienwohnung, -en _____

das Hausboot, -e _____

der Platz (Singular) _____

viel Platz haben _____

der Stadtrand, -ränder _____

am Stadtrand wohnen _____

bauen _____

ein Haus bauen _____

gehören _____

Die Wohnung gehört mir. _____

bewohnt _____

entfernt _____

6 km vom Dorf entfernt _____

im Gebäude

der Aufzug, Aufzüge _____

das Dach, Dächer _____

der Eingang, Eingänge _____

der Keller, – _____

der Strom (Singular) _____

das Treppenhaus, -häuser _____

der Quadratmeter, – _____

Die Wohnung hat 50 Quadratmeter. _____

renovieren _____

vermieten _____

Die Wohnung für 350 Euro vermieten. _____

eng _____

möbliert _____

Die Wohnung ist möbliert. _____

mit Nachbarn sprechen

die Bitte, -n _____

eine Bitte haben _____

der Briefkasten, -kästen _____

den Briefkasten leeren _____

das Feuer (Singular) _____

die Feuerwehr (Singular) _____

der Hausmeister, – _____

die Haustür, -en _____

der Kinderwagen, – _____

der Konflikt, -e _____

der Müll (Singular) _____

die Mülltonne, -n _____

die Ordnung (Singular) _____

Das ist schon in Ordnung! _____

das Päckchen, – _____

ein Päckchen annehmen _____

ab|stellen _____

das Fahrrad im Hof abstellen _____

sich beschweren _____

erlauben _____

Erlauben Sie, dass wir grillen? _____

gießen _____

die Blumen gießen _____

putzen _____

das Treppenhaus putzen _____

stören _____

Das stört mich. _____

stinken _____

leise _____

trocken _____

Das Treppenhaus ist noch nicht trocken. _____

_____

verboten _____

Grillen ist hier verboten. _____

_____

der Umzug

an|melden ↔ ab|melden _____

Ich muss mich offiziell anmelden. _____

_____

ein|ziehen _____

packen _____

sich verabschieden _____

sich verirren _____

Ich habe mich im Zentrum verirrt. _____

_____

Tiere

die Ente, -n _____

der Fisch, -e _____

das Haustier, -e _____

der Hund, -e _____

die Katze, -n _____

die Kuh, Kühe _____

das Schwein, -e _____

der Schwan, Schwäne _____

der Vogel, Vögel _____

bellen _____

Der Hund bellt. _____

füttern _____

die Katze füttern _____

andere wichtige Wörter und Wendungen

der Bleistift, -e _____

die Breite, -n _____

die Fläche, -n _____

der Haushalt, -e _____

die Insel, -n _____

die Länge, -n _____

die Spülmaschine, -n _____

der Strand, Strände _____

die Wolke, -n _____

aus|geben _____

Geld ausgeben _____

merken _____

Entschuldigung, das habe ich nicht gemerkt. _____

_____

sich unterhalten _____

versprechen _____

elektrisch _____

genial _____

zufällig _____

etwas _____

Hier ist alles etwas kleiner als in der Stadt. _____

_____

kaum _____

Wir haben uns kaum gesehen. _____

wichtig für mich

_____

_____

_____

Welche Räume gibt es in einem Haus? Notieren Sie.

_____

_____

_____

_____

Hören: Teil 3 – Ein Gespräch verstehen

1 Was können Sie schon? Kreuzen Sie an:

Ich kann ...

☐ ... Informationen zu Personen und über bekannte Themen verstehen.

☐ ... ein längeres Gespräch zu bekannten Themen verstehen.

> Sie hören in der Prüfung (Hören: Teil 3) ein längeres Gespräch zwischen zwei Personen. Sie ordnen bestimmte Informationen anderen Informationen zu, z.B.: An welchen Orten sind die Personen? Oder: An welchen Tagen machen die Personen etwas? Drei Informationen (bei a bis i) passen nicht. Sie hören den Text zweimal.

2

a Lesen Sie die Stichpunkte. Ordnen Sie die Bilder zu. Ein Bild fehlt.

a Haus am Meer f Städtereise
b zu Hause g Schiffsreise
c bei Verwandten h Wandern an der Donau
d auf dem Campingplatz i Hotel auf einer Insel
e in den Bergen

> Vor dem Hören haben Sie Zeit und können die Aufgaben lesen. Lesen Sie die Aufgaben sorgfältig. Stellen Sie sich die Situation möglichst genau vor.

b (2.21) **Urlaub machen. Hören Sie einen Ausschnitt aus dem Gespräch und notieren Sie: Welche Orte hören Sie?**

Tante: _____ Großeltern: _____ Kai: _____

c Lesen Sie den Ausschnitt aus dem Gespräch und markieren Sie die richtigen Lösungen. Streichen Sie dann die falsche Lösung in 2b durch und notieren Sie unten in der Tabelle den passenden Buchstaben aus 2a.

◆ Sag mal, und deine Tante, was macht die denn dieses Jahr?
◆ Sie fährt dieses Jahr zu ihrer Schwester aufs Land. Letztes Jahr waren wir doch mit dem Zelt zusammen in England unterwegs und da hat es die ganze Zeit geregnet. Jetzt hat sie irgendwie keine Lust auf große Reisen und besucht lieber gemütlich die Familie.
◆ Na, hoffentlich hat sie hier Glück mit dem Wetter. Und deine Großeltern?
◆ Die planen schon lange eine Wandertour in den Alpen. Sie waren jeden Sommer an der Ostsee in unserem Ferienhaus, aber dieses Jahr wollten sie etwas anderes machen.
◆ Toll, dann ist ja euer Ferienhaus frei!
◆ Nein, da fährt mein Bruder Kai hin. Er will dann auch noch ...

Wo machen die Personen Urlaub?

	Beispiel	1	2	3	4	5
Person	Eltern	Tante	Großeltern	Kai	Kinder	Sabine
Lösung	i					

> In der Prüfung: Machen Sie beim ersten Hören Notizen auf Ihren Prüfungsblättern. Kontrollieren Sie beim zweiten Hören jede Lösung genau. Oft gibt es zwei ähnliche Informationen, aber nur eine Information stimmt. Notieren Sie dann die Lösung auf dem Antwortbogen.

3 Die Prüfungsaufgabe

2.22–23

Teil 3

Sie hören ein Gespräch. Zu diesem Gespräch gibt es fünf Aufgaben.
Ordnen Sie zu und notieren Sie den Buchstaben. Sie hören den Text **zweimal**.

Was macht die Reisegruppe wann?

Beispiel

0 *Sonntag*   c Stadtspaziergang bei Nacht

	0	1	2	3	4	5
Tag	Sonntag	Montag	Dienstag	Mittwoch	Donnerstag	Freitag
Lösung	c					

a	Kunstausstellung ansehen	d Tour mit dem Fahrrad	g Theaterbesuch
b	Stadtmuseum besuchen	e Einkaufen in der Stadt	h allein die Stadt entdecken
c	Stadtspaziergang bei Nacht	f Fahrt nach Potsdam	i Ausflug zum Wannsee

Schreiben: Teil 2 – Eine kurze Mitteilung schreiben

4 Was können Sie schon? Kreuzen Sie an:

Ich kann ...

☐ ... Informationen geben und darauf reagieren.   ☐ ... einfache E-Mails schreiben.

☐ ... Fragen stellen.

In der Prüfung (Schreiben: Teil 2) schreiben Sie eine kurze Mitteilung (z. B. eine Bitte an einen Freund / eine Freundin oder einen Kollegen / eine Kollegin). Sie bekommen auf dem Aufgabenblatt vier Inhaltspunkte. Aus diesen vier Inhaltspunkten wählen Sie drei aus und schreiben in Ihrer Mitteilung etwas dazu. Nicht vergessen: Zur Mitteilung gehören auch Anrede und Gruß.

5 a Eine E-Mail. Bringen Sie die Sätze in eine passende Reihenfolge.

⊗ ⊗ ⊗

_____ vielen Dank für deine Nachricht.

_____ Ich freu' mich schon.

_____ Ich hole dich natürlich ab.

_____ Hallo Iris,

_____ Sag mir doch bitte noch, wie lange du bleiben kannst und was du gerne isst ...

_____ Toll, dass du nach Hannover kommst! Wann kommt dein Zug an?

_____ Viele Grüße

Mona

b **Wie können Sie noch sagen? Ergänzen Sie und sammeln Sie Anreden und Grußformeln.**

informell	formell
Hallo Iris, Hallo Thomas,	*Sehr ...*
Liebe ...	
Viele Grüße!	
	Mit

> *du* oder *Sie*?
> Lesen Sie die Situation und entscheiden Sie sich für die richtige Anrede. Schreiben Sie dann entweder nur *du (dich/dir/dein)* oder nur *Sie (Ihnen/Ihr)*. Kontrollieren Sie am Ende noch einmal: Haben Sie immer nur *du* oder *Sie* verwendet?

c **Lesen Sie die Situation und die Inhaltspunkte. Wählen Sie drei Inhaltspunkte und notieren Sie dazu je zwei passende Fragen oder Aussagen für eine Mitteilung. Vergleichen Sie dann mit den Lösungsbeispielen unten.**

Sie bekommen eine E-Mail von Ihrem Kollegen Samuel. Er möchte am Wochenende einen Ausflug mit Ihnen und anderen Freunden machen. Er fragt, ob Sie mitkommen.

Zeit	*Ort*
jemanden mitbringen	*Essen*

> **drei Inhaltspunkte auswählen**
> Welchen Inhaltspunkt finden Sie schwer/kompliziert oder verstehen Sie nicht? → Lassen Sie ihn weg.

Zeit: Wann möchtest du losfahren? / Wie lange dauert der Ausflug? / Wann kommen wir zurück? / Ich muss um 18 Uhr zu Hause sein. **Ort:** Wohin möchtest du fahren? / Wir können nach ... fahren. / Kennst du ...? Dort gibt es tolle Sehenswürdigkeiten. **Jemanden mitbringen:** Mein Bruder ist gerade zu Besuch. Kann er mitkommen? **Essen:** Soll/Muss ich Essen mitnehmen? / Ich möchte in ein Restaurant gehen. / Bringst du Essen und Trinken mit?

d **Schreiben Sie mit den Sätzen aus 5c eine Mitteilung an Samuel. Tauschen Sie dann den Text mit Ihrem Partner / Ihrer Partnerin. Korrigieren Sie die Texte mit der Checkliste.**

☐ drei Inhaltspunkte? ☐ Anrede und Gruß? ☐ *du* oder *Sie*? ☐ Verbposition? ☐ Rechtschreibung?

6

Die Prüfungsaufgabe

> Sie bekommen eine Nachricht von Ramona. Sie kennen Ramona aus dem Deutschkurs. Sie schreibt, dass sie am 18. Mai ihren Geburtstag feiert. Ramona lädt Sie ein und fragt, ob Sie kommen.
> Antworten Sie. Hier finden Sie vier Punkte. Wählen Sie **drei** aus.
> Schreiben Sie zu jedem dieser drei Punkte ein bis zwei Sätze (circa 40 Wörter).
> Vergessen Sie nicht den passenden Anfang und den Gruß am Schluss.

jemanden mitbringen	*Ort und Wegbeschreibung*
Uhrzeit	*Geschenk*

Sprechen: Teil 2 – Ein Alltagsgespräch führen

7 **Was können Sie schon? Kreuzen Sie an:**

Ich kann ...

☐ ... einfache Fragen zu einem Thema stellen.   ☐ ... Informationen geben.

☐ ... auf Fragen antworten.   ☐ ... ein einfaches Gespräch führen.

> In der Prüfung (Sprechen: Teil 2) formulieren Sie drei Fragen zu einem Thema und antworten auf drei Fragen von Ihrem Partner / Ihrer Partnerin. Jeder bekommt zwei Fragekarten mit einem Fragewort, manchmal auch mit einem Verb oder dem Anfang von einer Frage. Formulieren Sie mit jeder Karte eine Frage. Außerdem bekommt jeder ein drittes Kärtchen mit einem Fragezeichen. Dazu können Sie eine Frage frei formulieren.

8 **a** **Wählen Sie ein Thema aus und notieren Sie vier W-Fragen. Fragen Sie Ihren Partner / Ihre Partnerin. Er/Sie antwortet. Tauschen Sie danach die Rollen.**

Wo arbeitest du? ...

Arbeit   Schule   Freizeit

b **Wählen Sie ein neues Thema aus 8a. Notieren Sie jeweils zwei Fragen zu jedem Fragekärtchen. Vergleichen Sie zu zweit und formulieren Sie Antworten für alle Fragen.**

Wo ...?	Mit wem ...?	... fahren ...?
Wie ...?	Was ...?	... aufstehen ...?

> ❗ Ihre Fragen sollten nicht immer gleich formuliert sein, z. B. „Wann *machst du Sport*?" und „Wo *machst du Sport*?". Das kann in der Prüfung einen Punkteabzug geben.

9 **Die Prüfungsaufgabe**

> Ein Alltagsgespräch führen. Sprechen Sie mit Ihrem Partner / Ihrer Partnerin.
>
> | **Thema: Urlaub** | **Thema: Urlaub** |
> |---|---|
> | *Wann ...?* | *¿ ...* |
> | **Thema: Urlaub** | **Thema: Urlaub** |
> | *Wohin ...?* | *... schlafen ...?* |
> | **Thema: Urlaub** | **Thema: Urlaub** |
> | *... essen ...?* | *Wie viele ...?* |
> | **Thema: Urlaub** | **Thema: Urlaub** |
> | *...?* | *Mit wem ...?* |

10 Gute Unterhaltung!

1

a Welches Wort passt nicht? Streichen Sie.

1. der Film   die Rolle   der Hauptdarsteller   das Konzert
2. das Schloss   der Sänger   das Gebäude   die Kirche
3. das Kino   der Musiker   das Konzert   das Album
4. der Autor   der Solist   der Bestseller   der Roman
5. die Oper   das Orchester   der Chor   das Interview

b Schreiben Sie die Wörter ins Rätsel. Wie heißt das Lösungswort?

1. Tom Hanks ist ein ganz bekannter ... , er hat schon viele tolle Rollen gespielt.
2. Gudruns Hobbys sind Musik und Singen, deshalb singt sie auch in einem ... .
3. Auf dem Konzert hat Herbert Grönemeyer viele bekannte ... gesungen.
4. Der Roman „Das Parfum" erzählt eine interessante ... .
5. In der Oper gibt es Sänger, einen Chor und ein ... .
6. Patrick Süskind hat den Roman „Das Parfum" geschrieben, also ist er der ... .
7. Der Film „Cloud Atlas" hat sehr viel Geld gekostet. Das ... war 100 Millionen Euro.
8. Jedes Jahr besuchen viele ... aus der ganzen Welt das Schloss Neuschwanstein.

In einer Oper sind sie die Hauptdarsteller: die _____.

Autor • Budget • Chor • Geschichte • Lieder • Orchester • Schauspieler • Touristen

c Machen Sie ein Interview mit Ihrem Partner / Ihrer Partnerin. Wählen Sie fünf Fragen. Notieren Sie die Antworten.

1. Welchen Film haben Sie mehrmals angesehen? Wie oft?
2. Welcher Film war am spannendsten?
3. Bei welchem Film haben Sie am meisten gelacht?
4. Haben Sie bei einem Film geweint? Wenn ja, bei welchem?
5. Welches Gebäude gefällt Ihnen am besten?
6. In welchem Gebäude möchten Sie am liebsten leben?
7. Welches Buch hat Ihnen gut gefallen?
8. Was ist Ihr Lieblingssong / Ihr Lieblingsalbum?
9. Wie oft ungefähr haben Sie Ihren Lieblingssong / Ihr Lieblingsalbum gehört?
10. Haben Sie eine Lieblingsoper? Welche?

d Schreiben Sie mit den Antworten einen Text über Ihren Partner / Ihre Partnerin.

... hat den Roman „2666" von Roberto Bolano gelesen, über 1 100 Seiten! Am meisten hat sie ...

2
Wortschatz

a **Architektur. Lesen Sie die Stichworte zu den Bauwerken. Kreuzen Sie dann an: richtig oder falsch?**

Amphitheater Trier
Die größte historische Arena in Deutschland, über 1 800 Jahre alt; gebaut in der Römerzeit (ca. 150–200 n. Chr.), damals Platz für 18 000 Zuschauer; heute jeden Sommer Römer-spiele, auch Konzerte von bekannten Sängern und Bands, etwa Tim Bendzko.

Der Berliner Fernsehturm
Das höchste Gebäude in Deutschland, 368 m hoch, im historischen Zentrum Berlins; gebaut von 1965 bis 1969, Terrasse und Restaurant in 200 m Höhe, über eine Million Besucher pro Jahr; man kann auf dem Fernsehturm auch heiraten.

Die Elbphilharmonie
1963 neues Lagerhaus im Hamburger Hafen, v. a. für Kakao und Kaffee aus Afrika und Lateinamerika; 2007 beginnt der Umbau zum modernsten Konzerthaus Deutschlands; es entstehen drei Konzertsäle, ein Hotel und Restaurants.

> **Abkürzungen**
> v.a. = vor allem
> v./n. Chr. = vor/nach Christus
> m = Meter

	richtig	falsch
1. Die größte historische Arena in Deutschland ist fast 1 800 Jahre alt.	☐	☐
2. In der Arena von Trier gibt es an 150 Tagen im Jahr Römerspiele.	☐	☐
3. Auf dem Berliner Fernsehturm kann man essen und trinken.	☐	☐
4. Die Elbphilharmonie war früher ein Lagerhaus.	☐	☐
5. Die Elbphilharmonie ist seit 2007 fertig.	☐	☐

2.24–26

b **Hören Sie die Gespräche. Was sagen die Personen? Kreuzen Sie an.**

1. Lars findet,
   a dass das Amphitheater nicht besonders schön oder interessant ist.
   b dass das Amphitheater ganz toll und faszinierend ist.

2. Bei den Römerspielen
   a gibt es Shows ohne moderne Technik, wie vor 2000 Jahren.
   b verwendet man die Technik von heute.

3. Tina erzählt,
   a dass sie im Restaurant auf dem Fernsehturm gut und günstig gegessen hat.
   b dass sie sich nach dem Besuch besser in Berlin orientieren konnte.

4. Jens mag die Elbphilharmonie,
   a denn er findet neue Architektur toll.
   b weil es dort schöne Konzerte gibt.

Welche Karten nehmen wir?

3

a **Musik beim Autofahren. Ergänzen Sie die Gesprächsausschnitte. Achten Sie bei den Verben auf die richtige Form. Vergleichen Sie dann mit Ihrem Partner / Ihrer Partnerin und lesen Sie die Gespräche zu zweit.**

finden | hören | ich | Idee | lustig | möchten | mich | sein | suchen | mögen | Musik | nicht | schlecht | ~~Radio~~

◆ Mach doch mal das _Radio_ (1) an.

◆ Ja, das ist eine gute _____ (2).

◆ Ach nee. Können wir nicht was anderes _____ (3)?

◆ Wieso, das _____ (4) doch guter Rock.

◆ Aber beim Fahren nervt _____ (5) das.

◆ Okay, ich _____ (6) schon weiter.

◆ Hör mal, das finde _____ (7) gut.

◆ Echt? Ich _____ (8) das nicht, Jazz ist nicht so mein Ding. Kann ich andere _____ (9) suchen?

◆ Ja klar. Wir müssen das _____ (10) hören.

◆ Das ist okay, oder?

◆ Ja, das ist nicht _____ (11). Aber es ist so _____ (12), wenn du Musik suchst.

◆ Haha. Dann suche ich weiter.

◆ Na, das ist doch cool, richtige Chill-Musik. Wie _____ (13) du Trip-Hop beim Autofahren? Geht das?

◆ Ja, das ist cool, das _____ (14) ich hören.

b **Welche Frage passt? Kreuzen Sie an.**

1. ◆ Hier sind die CDs. ☐ Was für eine ☒ Welche CD gehört dir?
   ◆ Die von Annett Louisan.

2. ◆ Da ist das aktuelle Kinoprogramm. ☐ Welchen ☐ Was für einen Film möchtest du sehen?
   ◆ Oh, gehen wir doch in „Lorax". Der ist so süß.

3. ◆ Kannst du mir ein Buch empfehlen?
   ◆ ☐ Welche ☐ Was für Bücher liest du denn gern?
   ◆ Am liebsten schöne Romane, nicht zu lang.

4. ◆ Kann ich Musik anmachen?
   ◆ ☐ Welche ☐ Was für Musik möchtest du hören?
   ◆ Ist ganz egal. Mach einfach das Radio an.

> ❗ **Was für ein/eine …?**
> Offene Frage – Antwort mit *ein/eine* …
>
> **Welch- …?**
> Frage nach schon Bekanntem / nach der Auswahl – Antwort mit *der/das/die* …
>
> Achten Sie auf die richtige Form:
> Was für ein**en** Song hörst du gerade? – Ein**en** romantischen (Song).
> In welch**em** Kino läuft „Cloud Atlas"? – I**m** „Filmpalast".

c *Was für ein/eine … oder Welch-?* **Ergänzen Sie in der richtigen Form.**

1. _Was für ein_ _____ Buch suchen Sie? – Einen schönen Roman für den Urlaub.

2. _____ Buch lesen Sie da gerade? – Den neuen Roman von Herta Müller.

3. _____ Sänger finden Sie am besten? – Wen wohl? Bruce Springsteen.

4. _____ Karte soll ich denn kaufen? – Nimm einfach einen Stehplatz!

5. _____ Termin möchten Sie, Freitag oder Samstag? – Samstag, bitte.

6. Bei _____ Film hatten Sie im Kino richtig Spaß? – Bei *Ice Age*.

4

Wortschatz

a Suchen Sie die Begriffe in den Dokumenten. Markieren Sie die Wörter.

der Rabatt • überweisen • die Kasse • die Mehrwertsteuer (MwSt) • netto • die Quittung • das Konto • bar

---

Rechnungsnummer: 2160-581503
Rechnungsdatum 28. Juni 2013

Stk	Artikel	Einzelpreis	Gesamtpreis
2	Ticket Kategorie 3	58,00 €	116,00 €
	Gesamtbetrag		**116,00 €**

Enthält 7 % MwSt   8,12 €
Nettopreis   107,88 €

Bitte überweisen Sie den offenen Betrag bis zum
12. 7. 2013 auf unser Konto.

Konto   802 413 595
Bankleitzahl   35312
Handelsbank

QUITTUNG

DVD Die Fälscher
(Regie Stefan Ruzowitzky)   9.99
Rabatt für Mitarbeiter   – 2.50

Summe	EUR	7.49
Bar	EUR	10.00

ZURÜCK (bar)   EUR   2.51
Betrag enthält 7 % MwSt   0.52
        netto   6.97

2012-07-13 – 14:29 Uhr
Es bediente Sie Jonas Heinzle an Kasse 2.

---

b Welches Wort aus 4a passt? Ergänzen Sie.

1. Sie können den Betrag mit Kreditkarte oder _____ bezahlen.

2. Ich muss heute die Rechnung bezahlen. Ich muss das Geld _____.

3. Ich überweise dir das Geld auf dein _____, wenn du mir deine Kontonummer und die Bankleitzahl gibst.

4. Ich habe an der _____ bezahlt und meine Tasche dort vergessen.

5. Bei uns im Geschäft bekommen die Mitarbeiter 25 Prozent _____. Bei euch auch?

6. Wie viel hat das gekostet? – Warte, hier hab ich die _____: 18,90 Euro.

7. In unseren Preisen ist die _____ von 19 Prozent schon enthalten.

8. Der Preis ist _____, also ohne Mehrwertsteuer. Die kommt noch dazu.

🔘
2.27

c Konzertkarten kaufen. Welche Antwort passt? Kontrollieren Sie mit der CD.

1. _____ Guten Tag, was kann ich für Sie tun?

2. _____ Da gibt es zwei Termine, am 15. und am 16. Juni.

3. _____ Was für Plätze möchten Sie denn gern? Kennen Sie die Stadthalle?

4. _____ Ja, da haben Sie Glück. Ein paar Tickets haben wir noch. Und dann gibt's noch Sitzplätze auf der Galerie.

5. _____ Ja, das finde ich auch. Also dann, zwei Stehplätze für das Konzert von „2raumwohnung" am Freitag, dem 15. Juni. Ist das richtig?

6. _____ Macht zusammen 82 Euro. Wie möchten Sie denn bezahlen?

7. _____ Dann brauch' ich hier noch Ihre Unterschrift. Und da sind die Karten und Ihre Quittung. Vielen Dank. Auf Wiedersehen.

A Ja, genau.

B Ja, ich weiß. Ich brauche Karten für Freitag, den 15.

C Ich möchte zwei Karten für das Konzert von „2raumwohnung".

D Vielen Dank. Wiedersehen!

E Mit der Kreditkarte, bitte. Hier.

F Ja, schon. Ich möchte zwei Stehplätze. Gibt es die noch?

G Nein, nein, ich möchte stehen. Da ist die Stimmung viel besser.

d **Was passt zusammen? Verbinden Sie.**

1 Es ist so laut hier. Können Sie bitte   A das noch mal langsamer sagen, bitte?

2 Es tut mir leid, das habe ich leider   B ein bisschen lauter sprechen?

3 Das war zu schnell. Können Sie   C wiederholen?

4 Entschuldigung, können Sie das bitte   D wie viel kostet eine Karte?

5 Ich hab den Preis nicht verstanden,   E nicht verstanden. Bitte noch mal.

Das Konzert

5

a **Ergänzen Sie _man, jemand_ oder _niemand_.**

Hast du schon __jemand__ gesehen?

Nein, es ist noch _____ auf der Bühne.

Es ist so laut, _____ kann gar nichts verstehen.

Hier hat _____ mehr Platz, es ist so voll!

_____ sieht ja gar nichts!

Kann mir bitte _____ helfen?

b **Wie ist das in Ihrer Sprache? Notieren Sie.**

	Ihre Sprache
Man versteht ja nichts, es ist so laut.	
Kann mir bitte **jemand** helfen?	
Niemand hilft mir.	

6 _alles, etwas, nichts._ **Ergänzen Sie die Mitteilungen.**

> alles – alle
> Alles **ist** super. → Singular
> Alle (Leute) **sind** nett. → Plural

1. Tolle Musik, nette Songs. Ich weiß aber nicht, ob die Texte gut sind. Ich habe alles ☐ etwas ☐ nichts ☐ verstanden.

2. Hallo Schwesterchen! Bin schon unterwegs zum Konzert, hab' aber alles ☐ etwas ☐ nichts ☐ Wichtiges vergessen: Kannst du mein Ticket mitbringen? ;-)) Danke!!!

3. Schönes Festival, tolle Bands. Alles ☐ Etwas ☐ Nichts ☐ ist super. Leider bald vorbei.

7 **Musiker und Musik. Welche Wörter sind das? Schreiben Sie mit Artikel und Plural.**

~~AL~~   BÜH   ~~BUM~~   FES   GER   KER   KON   MU   NE   SÄN   SI   TI   VAL   ZERT

das Album, Alben _____   _____   _____

_____   _____   _____

Promi-Geschichten

8 **a** **Lesen Sie den Text und die Aussagen. Kreuzen Sie an: richtig oder falsch?**

„Wasser ist mein Element"

Der deutsche Schwimmer Max Trümper, 26, hat gerade Gold gewonnen – nach zwei Jahren ohne Erfolge. „Ich kann es selbst nicht glauben. In den letzten Jahren hatte ich so viel Pech. Natürlich habe ich diesmal besonders viel trainiert, aber das machen die anderen auch," meint Max selbstkritisch.

Vielleicht liegt es auch an seiner neuen Lebenssituation? Seit einem Jahr ist er verheiratet und vor zwei Monaten wurde er Vater. Schon immer spielt seine Lebenssituation eine Rolle bei seinen Erfolgen. Als er seinen Vater vor zwei Jahren verloren hat, war er plötzlich nicht mehr erfolgreich. „Es stimmt, dass mein Privatleben immer eine große Rolle spielt. Unser Trainer hat mich zu einem Psychologen geschickt und nun kann ich besser mit meinen Gefühlen umgehen."

Nächstes Jahr möchte Max seine Karriere beenden und im Hotel von seiner Mutter arbeiten. „Ich möchte zuerst alle Arbeitsbereiche kennenlernen, damit ich später das Hotel selbst leiten kann. Dann sehe ich meine Familie öfter – und das ist für mich das Wichtigste."

1. Max ist wieder erfolgreich.	☐ richtig	☐ falsch
2. Er hat mehr trainiert als andere Schwimmer.	☐ richtig	☐ falsch
3. Max hat ein Kind.	☐ richtig	☐ falsch
4. Sein Trainer ist auch Psychologe.	☐ richtig	☐ falsch
5. Max will seiner Mutter die Arbeit im Hotel erklären.	☐ richtig	☐ falsch
6. Er will mehr Zeit mit der Familie verbringen.	☐ richtig	☐ falsch

b **Arbeiten Sie zu zweit und machen Sie ein Partnerdiktat. Kontrollieren Sie anschließend den Text von Ihrem Partner / Ihrer Partnerin.**

A Julia war letzte Woche auf einem Konzert von Ina Müller, die eine bekannte Moderatorin und Sängerin ist. Ihre beste Freundin, die auch ein großer Fan ist, ist mitgegangen. Die Sängerin hat fast drei Stunden eine tolle Show gezeigt und die beiden Freundinnen waren begeistert. Julia meint: „Nächstes Mal sind wir natürlich wieder dabei!"

B Martin sieht abends immer Nachrichten im Fernsehen, am liebsten „Die Tagesschau". Seine Freunde trifft er erst, wenn die Nachrichten vorbei sind. Für Freunde, die ihn schon lange kennen, ist das kein Problem. Sie warten auf ihn oder verabreden sich einfach etwas später. Warum sind die Nachrichten so wichtig für ihn? Ganz einfach – er ist Journalist.

Satzzeichen
. = Punkt
, = Komma
? = Fragezeichen
! = Ausrufezeichen
: = Doppelpunkt
– = Gedankenstrich
„" = Anführungszeichen (unten/oben)

9

a Relativsätze. Lesen Sie und markieren Sie Relativpronomen und Bezugswort.

1. Jan hat einen Artikel über den Schauspieler gelesen, der den Oskar bekommen hat.
2. Du musst unbedingt den Film mit ihm sehen, der gerade in den Kinos läuft.
3. Er spielt mit einer tollen Schauspielerin, die auch im echten Leben seine Frau ist.
4. Sie haben drei Kinder, die alle schon erwachsen sind.
5. 2012 war für ihn das Jahr, das ihm Glück gebracht hat.

b Ergänzen Sie das passende Relativpronomen.

Und gestern Abend war ich im Kino, in dem neuen Film von Sönke Wortmann.	09:28
Ist das der Film, _____ schon ein paar Preise bekommen hat?	09:29
Genau, er hat mir auch gut gefallen. Danach war ich mit Pia noch tanzen.	09:29
Pia? Ist das deine Freundin, _____ in England studiert?	09:32
Ja, in London, sie besucht gerade ihren Bruder, _____ hier als Fotograf arbeitet.	09:32
☺. Ich habe gestern unsere Freundinnen getroffen, _____ jetzt in Berlin studieren.	09:33
Du meinst Sandra und Eva??? Warum hast du mir nichts gesagt?	09:33
Weil du die Freundin bist, _____ nie zurückruft. ;-)	09:35

c Schreiben Sie fünf Sätze.

1. Erik ist der Student,		studieren / seit zwei Jahren / in Berlin / .
2. Lisa ist das Mädchen,	der	gehen / oft / ins Kino / .
3. Annabel ist die Lehrerin,	das	arbeiten / an einer Sprachenschule / .
4. Carlo ist der Sportler,	die	hören / Rockmusik / beim Joggen / .
5. Ich bin die Person,		_____

Erik ist der Student, der seit zwei Jahren ...

d Patrick zeigt seine Fotos. Welche Information fehlt? Ergänzen Sie den eingeschobenen Relativsatz.

1  2  3  4  5

1. Die Frau, _____, heißt Lena Marotti.

2. Das Mädchen, _____, heißt Juliane.

3. Der Mann, _____, heißt Markus Fechtner.

4. Die Familie, _____, hat eigentlich zwei Kinder.

5. Die Kinder, _____, sind Geschwister.

e **Wie kann man es noch sagen? Bilden Sie aus den zwei Hauptsätzen einen Hauptsatz mit Relativsatz.**

1. Der Student heißt Luis. Er kommt aus Argentinien.
2. Die Nachbarin ist sehr nett. Sie wohnt schon seit 10 Jahren neben uns.
3. Die Kinder kommen zu spät zur Schule. Sie haben den Bus verpasst.
4. Der Schauspieler hat seinen Text vergessen. Er hat starke Kopfschmerzen.

> **Stellung Relativsatz** ❗
> Der Relativsatz steht meistens direkt hinter dem Bezugswort.

Der Student, der aus Argentinien kommt, heißt Luis.

10

a **Kennen Sie sich schon in Deutschland aus? Beantworten Sie die Quizfragen.**

1. Wie heißt die Oper, die über 15 Stunden dauert? _____
2. Wie heißt der König, der nur kurz in Schloss Neuschwanstein gewohnt hat? _____
3. Wie heißt der Autor, der „Das Parfum" geschrieben hat? _____
4. Wie heißt die Stadt, die bis 1989 geteilt war? _____
5. Wie heißt der Fluss, der durch Hamburg fließt? _____
6. Wie heißt das Fest, das man in Deutschland im Frühling feiert? _____

b **Schreiben Sie selbst drei Fragen und fragen Sie Ihren Partner / Ihre Partnerin.**

11

a **Ordnen Sie Frage und Antwort zu.**

1. Wann kommst du? _C_
2. Wie viel Uhr ist es? ____
3. Wie lange lernst du schon Deutsch? ____
4. Wann warst du in Deutschland? ____
5. Woher kommst du? ____
6. Wo wohnst du jetzt? ____
7. Wohin fährst du im Urlaub? ____

A Ans Meer.
B Aus Hessen.
C Heute Abend um acht.
D Gleich acht Uhr.
E Auf dem Land.
F Sechs Monate.
G Vor zwei Monaten.

🔊 2.28 **b** **Rückfragen. Hören Sie die Fragen und Antworten. Achten Sie auf die Betonung und notieren Sie: Ist das eine normale Frage (N) oder eine Rückfrage (R)?**

1. _N_   2. ____   3. ____   4. ____   5. ____   6. ____   7. ____

c **Arbeiten Sie zu zweit. Ihr Partner / Ihre Partnerin erzählt fünf Dinge über sich und sagt die Hauptinformation sehr leise. Sie verstehen schlecht und fragen nach.**

Malerei gestern und heute

12 a Sehen Sie die Anzeigen an und hören Sie das Gespräch von Anna und Robert. Wo sind sie? Kreuzen Sie an.

🎧 2.29

Offener Museumstag

Kunst selbst machen! Zusammen mit einem Künstler machen Sie selbst ein Kunstwerk – malen, zeichnen, formen! ☐

> **Kunsthalle**
> Die Frau in der Malerei – von der Antike bis heute.
> Täglich Führungen um 16 Uhr ☐

Ausstellung „Moderne Kunst des 21. Jahrhunderts":
Videoinstallationen, Bilder, Skulpturen
Öffnungszeiten: täglich 10–22 Uhr ☐

Städtische Kunstgalerie

Kunst des 19. und 20. Jahrhunderts
Sonderausstellung:
Die deutsche Romantik ☐

🎧 2.29

b Wem gefällt was? Hören Sie noch einmal und notieren Sie die Namen: A für Anna, R für Robert und B für beide.

1. Bild mit Frau und Kind _____
2. Video _____
3. alte Künstler _____
4. moderne Malerei _____
5. Maschinen _____
6. Pferdeskulptur _____

c Welches Museum oder welche Ausstellung finden Sie interessant oder haben Sie interessant gefunden? Schreiben Sie eine E-Mail an Ihren Partner / Ihre Partnerin.

13 a Wie heißen die Farben richtig? Notieren Sie. Ordnen Sie dann zu.

1. BELG _____
2. ALLI _____
3. RÜNG _____
4. RUGA _____
5. WRASCHZ _____
6. RANEGO _____
7. ULBA _____
8. ISSEW _____

☐ ☐ ☐ ☐ ☐ ☐ ☐ ☐

🎧 2.30

b Hören Sie das Bilddiktat und zeichnen Sie. Vergleichen Sie am Ende mit Ihrem Partner / Ihrer Partnerin.

c Vergleichen Sie die beiden Fotos und notieren Sie fünf Unterschiede.

> Auf Foto A ist rechts oben ein Blumenstrauß, auf Bild B sind die Blumen oben in der Mitte ...

Das kann ich nach Kapitel 10

R1 Was ist typisch für die Person? Schreiben Sie jeweils einen Satz.

1. Mirjam – Frau – gern Sport machen *Mirjam ist die Frau,* _____

2. Patrick – Kind – viele Freunde haben _____

3. Sven – Junge – oft lang schlafen _____

4. Attila und Thilo – Schüler – Fußball nicht mögen _____

_____

	☺☺	☺	☺	☹	KB	AB
✎ Ich kann genauere Informationen zu Personen geben.	☐	☐	☐	☐	9b, 10a	9d

R2 Welche Musik hören Sie gern? Suchen Sie zwei Partner / Partnerinnen mit dem gleichen Musikgeschmack. Sprechen Sie: Wann hören Sie die Musik und was gefällt Ihnen?

	☺☺	☺	☺	☹	KB	AB
💬 Ich kann über Musikstile sprechen.	☐	☐	☐	☐	3b	

R3 Lesen Sie die kurzen Mails und notieren Sie die Informationen.

⊗⊗⊗ ▭	⊗⊗⊗ ▭
Hi Anja, gestern war ich mal wieder in einer Ausstellung. Claudia interessiert sich doch für Geschichte und wir waren im Stadtmuseum. Eigentlich gehe ich ja lieber ins Kunstmuseum, aber es war sehr interessant: viele Fotos, Bilder und Objekte. Ich habe viel Neues erfahren – kann ich dir nur empfehlen! Viele Grüße, Martin	Hi Martin, das ist ja lustig – ich war auch im Museum. Aber diesmal keine Kunst, sondern im Automuseum. Die alten Autos waren ja ganz interessant, aber die vielen Informationen über Technik, Zeichnungen usw. haben mir nicht gefallen. Autofahren ist auf alle Fälle spannender ☺! Chris war natürlich begeistert … Bis bald, Anja

Welches Museum? _____   Welches Museum? _____

Was ist dort? _____   Was ist dort? _____

Wie war es? _____   Wie war es? _____

	☺☺	☺	☺	☹	KB	AB
📖✎ Ich kann Mails über ein Museum schreiben und verstehen.	☐	☐	☐	☐		12c

Außerdem kann ich	☺☺	☺	☺	☹	KB	AB
🎧 … Informationen über Malerei verstehen.	☐	☐	☐	☐	12b	
🎧📖 … eine Bildbeschreibung verstehen.	☐	☐	☐	☐	13a	13b
💬 … Konzertkarten kaufen.	☐	☐	☐	☐	4b	4c
💬📖 … Informationen zu Zahlungsarten verstehen.	☐	☐	☐	☐	4b	4a
💬 … einen Musiker / eine Band vorstellen.	☐	☐	☐	☐	7	6
💬 … über Bilder sprechen.	☐	☐	☐	☐	12c	
📖 … kurze Infotexte (z. B. über Gebäude) verstehen.	☐	☐	☐	☐	1b	2a
📖 … Zeitungsmeldungen verstehen.	☐	☐	☐	☐	8a	8a
✎ … ein Bild beschreiben.	☐	☐	☐	☐	13b, c	
✎ … ein Profil über eine Person schreiben.	☐	☐	☐	☐		1d

Lernwortschatz Kapitel 10

Film

das Budget, -s _____

die Geschichte, -n _____

Die Geschichte spielt von 1820 bis 2500. _____

_____

der Hauptdarsteller, – _____

die Rolle, -n _____

die Hauptrolle spielen _____

_____

Musik

der Chor, Chöre _____

der Musiker, – _____

die Oper, -n _____

der Sänger, – _____

ein Chor mit vielen Sängern _____

_____

der Solist, -en _____

verkaufen _____

Das Album hat sich sehr gut verkauft. _____

_____

Literatur

der Autor, -en _____

die Verfilmung, -en _____

erscheinen _____

Das Buch ist 1985 erschienen. _____

Gebäude

der Fernsehturm _____

die Führung, -en _____

eine Führung durch das Schloss _____

das Konzerthaus, -häuser _____

das Lagerhaus, -häuser _____

das Schloss, Schlösser _____

der Tourist, -en _____

Tickets kaufen und bezahlen

die Karte, -n _____

die Kasse, -n _____

das Konto, Konten _____

die Kreditkarte, -n _____

mit Kreditkarte bezahlen _____

die Mehrwertsteuer (Singular) (= MwSt.) _____

_____

die Quittung, -en _____

der Rabatt, -e _____

der Sitzplatz, -plätze ↔ der Stehplatz _____

_____

die Überweisung, -en _____

per Überweisung bezahlen _____

überweisen _____

ausverkauft _____

Die Tickets sind ausverkauft. _____

_____

bar _____

bar bezahlen _____

netto _____

beim Konzert

der Ausgang, Ausgänge _____

der Kontrolleur, -e _____

der Schirm, -e _____

ab|geben _____

Den Schirm musst du abgeben. _____

_____

Promi-Geschichten

die Aussage, -n _____

die Komikerin, -nen _____

das Medium, Medien _____

die Moderatorin, -nen _____

die Nachrichten (Plural) _____

das Programm, -e _____

der Promi, -s (= der Prominente, -en) _____

die Sendung, -en _____

das Stück, -e _____

ein neues Stück schreiben _____

der Witz, -e _____

verdienen _____

Geld verdienen _____

glatt _____

Es geht nicht alles glatt. _____

privat _____

Malerei

das Blatt, Blätter _____

das Graffito, Graffiti _____

das Interesse, -n _____

Interesse an Tieren haben _____

_____

der Maler, – _____

ab|malen _____

ein Tier abmalen _____

malen _____

abstrakt _____

realistisch _____

wichtig für mich

_____

_____

_____

Schreiben Sie drei Sätze zu dem Bild.

_____

_____

_____

_____

bunt _____

dumm _____

Bildbeschreibung

die Ecke, -n _____

in der Mitte _____

im Vordergrund _____

im Hintergrund _____

links ↔ rechts _____

oben ↔ unten _____

vorne ↔ hinten _____

andere wichtige Wörter und Wendungen

die Einführung, -en _____

die Entscheidung, -en _____

eine schwierige Entscheidung _____

der König, -e _____

die Realität (Singular) _____

jährlich _____

alles _____

etwas _____

nichts _____

man _____

was für ein/eine _____

welcher/welches/welche _____

1

Wortschatz

a Eine Geschichte aus dem Leben. Sehen Sie die Bilder an und ordnen Sie die Wortgruppen zu. Benutzen Sie ein Wörterbuch.

1.
betrunken Auto fahren
verboten sein
verletzt sein und bluten
gegen einen Baum fahren
der Krankenwagen

2.
lügen
nicht in der Firma sein
mit Freunden feiern
telefonieren
in der Kneipe sein

3.
schwanger sein
in der Arztpraxis sein
die Untersuchung
Blut abnehmen
sich freuen

4.
sich entschuldigen
Rosen schenken
versprechen: keinen Alkohol mehr trinken
leidtun
nicht sterben wollen

A ___

B ___

Ich bin noch in der Firma – ich muss leider noch arbeiten. Warte nicht auf mich.

C ___

Ich trinke nie wieder!

D ___

Zum Glück bist du nicht tot!

b Schreiben Sie eine Geschichte zu den Bildern. Schreiben Sie zu jedem Bild mindestens zwei Sätze. Benutzen Sie die Ausdrücke und Wörter aus 1a.

Glück gehabt!

Selma ist eine hübsche junge Frau, die schwanger ist. Weil sie bald

ihr Baby bekommt, ...

_____

_____

_____

_____

_____

_____

> **Eine Geschichte schreiben**
> Wörter und Ausdrücke wie *zuerst*, *aber dann*, *danach*, *plötzlich*, *am nächsten Tag*, *schließlich*, ... helfen beim Erzählen. Denken Sie auch daran, Ihre Sätze zu verbinden (*weil*, *obwohl*, *trotzdem*, *deshalb*, ...).

2.31

Wortschatz

c Was passt wo? Ordnen Sie zu. Hören Sie dann noch einmal das Gespräch von Aufgabe 1b im Kursbuch.

1 der Kiosk ____
2 draußen ____
3 die Ausbildung ____
4 das Heimweh ____
5 pensioniert sein ____
6 die Fete ____
7 die Abschlussprüfung ____
8 sparen ____
9 andere Pläne haben ____

A ein anderes Wort für Party
B trauriges Gefühl, wenn man nicht zu Hause ist, aber viel lieber zu Hause sein möchte
C etwas anderes machen wollen
D kleines Geschäft: Hier kann man zum Beispiel Zeitungen, Zeitschriften und Süßigkeiten kaufen.
E nicht in einer Wohnung, in einem Haus oder einem anderen Gebäude
F ab einem bestimmten Alter nicht mehr arbeiten müssen
G wenig Geld ausgeben
H Test am Ende der Schulzeit oder am Ende der Ausbildung
I Zeit, in der man einen Beruf lernt

2 Hier verbringe ich meine Zeit ... Wie heißen die Wörter?

1. Die meisten erwachsenen Menschen verbringen 8 Stunden täglich mit ...
2. Manche Familienväter kochen gerne. Sie sind viel in der ...
3. Studenten lernen oft in der ...
4. Viele Familien machen am Wochenende einen ...
5. Eltern von kleinen Kindern trifft man oft auf dem ...
6. Viele Schüler machen nachmittags ...

ä, ö, ü = 1 Buchstabe

Lösungswort: Ich kenne Rentner, die viele _____ machen.

Ich hätte gern mehr Zeit!

3

a Ohne Worte – ein Fotointerview. Wofür hätten die Personen gern mehr Zeit? Ergänzen Sie die Aussagen.

Annika Rubens würde _____ _____

Lars Meier _____ _____

Marika und Jan Steger _____ _____

b Und Sie? Machen Sie ein Fotointerview mit Ihrem Partner / Ihrer Partnerin. Tauschen Sie dann die Fotos mit einem anderen Paar und raten Sie: Wofür hätte er/sie gern mehr Zeit?

Hannes hätte gern mehr Zeit fürs Tennisspielen.

Marcella würde gern ...

4

a Vergleichen Sie die Verbformen. Was ist im Konjunktiv II bei *haben, sein* und *werden* anders als im Präteritum? Markieren Sie und notieren Sie die Endungen.

	haben		sein		werden		Endungen
	Präteritum	Konj. II	Präteritum	Konj. II	Präteritum	Konj. II	
ich	hatte	hätte	war	wäre	wurde	würde	
du	hattest	hättest	warst	wärst	wurdest	würdest	-(e)st
er/es/sie	hatte	hätte	war	wäre	wurde	würde	
wir	hatten	hätten	waren	wären	wurden	würden	
ihr	hattet	hättet	wart	wärt	wurdet	würdet	
sie/Sie	hatten	hätten	waren	wären	wurden	würden	

> **Konjunktiv II** = Präteritum + Umlaut
> Präteritum: →   Konjunktiv II:
> *Gestern hatte ich frei.*   –   *Ich hätte heute gern frei!*
> *Gestern waren wir im Zoo.*   –   *Wir wären gern im Zoo, aber er ist heute zu.*
>
> *würde* + Infinitiv verwendet man außerdem für die meisten Verben im Konjunktiv II:
> *Ich **würde** gern mehr **lesen** / länger **schlafen** / ins Kino **gehen** / ...*

b Was passt: Präteritum oder Konjunktiv II? Kreuzen Sie an.

1. Ich war ☐ wäre ☐ so gern berühmt.
2. Gestern hattest ☐ hättest ☐ du den ganzen Tag Zeit!
3. Er wollte dich gern besuchen, aber du warst ☐ wärst ☐ nicht zu Hause.
4. Wir waren ☐ wären ☐ jetzt so gern in Urlaub.
5. Als sie endlich Geld für den Skiurlaub hatten ☐ hätten ☐, wurde ☐ würde ☐ es schon Sommer.

c Das wäre so schön ...! Schreiben Sie die Wünsche im Konjunktiv II + *gern*.

1. du – öfter Sport machen   *Du würdest gern öfter* _____
2. Jan – mehr Geld haben   _____
3. wir – öfter Freunde treffen _____
4. du – weniger Stress haben   _____
5. Theresa – mehr lesen   _____
6. ihr – euch öfter ausruhen   _____
7. sie – weniger Arbeit haben   _____
8. ich – ...   _____

d Sehen Sie die Zeichnung an. Welche Wünsche hat der Mann?

Der Mann hätte gern ...

e **Welche Wünsche haben Sie? Notieren Sie zu den Themen je zwei Wünsche im Konjunktiv II. Verwenden Sie *würde gern* + Infinitiv, *wäre gern* oder *hätte gern*.**

Arbeit	Freizeit	Familie	Urlaub
Ich hätte gern andere Arbeitszeiten. *Ich würde gern ...*			

So ein Stress!

5

a **Ratschläge. Ergänzen Sie die passende Form von *könnte*, *sollte* oder *würde*.**

1. Schon wieder müde? An Ihrer Stelle __w__ ich zwei Tage frei nehmen.

2. Keine Zeit? Sie __s__ sich einen Tagesplan machen.
   Schreiben Sie dann auf, was Sie an dem Tag wirklich machen.
   So __k__ Sie herausfinden, wo und wie Sie Zeit verlieren.

3. Kein Geld? Ich __w__ nicht mehr in das teure Fitnessstudio
   gehen. Außerdem __k__ ihr mit dem Fahrrad zur Arbeit fahren
   oder zu Fuß gehen.

4. Zu viel zu tun? Du __s__ dir Hilfe holen: Vielleicht kann
   jemand für dich einkaufen gehen? Du __k__ auch einmal in
   der Woche Pizza bestellen. Dann musst du nicht selbst kochen.

> **Modalverben im Konjunktiv II**
> Bei *können* bildet man den Konjunktiv II aus Präteritum + Umlaut:
> *Du könntest weniger essen.*
> Bei *sollen* gibt es keinen Umlaut:
> *Ihr solltet euch beeilen!*

b **Entschuldigung, ...? Formulieren Sie höfliche Bitten im Konjunktiv.**

1. Auf einer Party: Sie suchen die Toilette.
   Entschuldigung, könnten Sie mir bitte sagen, wo die Toilette ist?

2. Im Sprachkurs: Sie haben etwas nicht verstanden.
   _____

3. Im Restaurant: Sie möchten noch einen Kaffee.
   _____

4. In der U-Bahn: Sie wissen nicht, wie Sie zum Bahnhof kommen.
   _____

5. Im Geschäft: Sie suchen Zucker.
   _____

6. Im Sportstudio: Sie möchten ein Handtuch ausleihen.
   _____

7. In einem Hotel: Sie suchen den Frühstücksraum.
   _____

⊙ 2.32

c Wunsch, Bitte oder Ratschlag? Hören Sie die Aussagen und kreuzen Sie an.

	Wunsch	Bitte	Ratschlag			Wunsch	Bitte	Ratschlag
1.	☐	☐	☐		5.	☐	☐	☐
2.	☐	☐	☐		6.	☐	☐	☐
3.	☐	☐	☐		7.	☐	☐	☐
4.	☐	☐	☐		8.	☐	☐	☐

6

a Sehen Sie das Bild an. Notieren Sie die Probleme.

Der Mann muss zu viel machen:
– die Kinder abholen

b Wie kann man die Probleme lösen? Machen Sie Vorschläge.

Ich würde meinen Schreibtisch ...

Der Kajak-Ausflug

7

Ergänzen Sie die Präpositionen und die Verben in der richtigen Form.

> denken • (sich) erinnern • sich freuen • (sich) kümmern • sprechen • (sich) vorbereiten • warten
>
> an • an • auf • auf • auf • mit • um

1. Thilo hat sich __um__ die Tickets _gekümmert_.
2. Mereth hat _____ Markus _____, aber er konnte nicht mitkommen.
3. Markus wollte sich _____ die Prüfung _____.
4. Am Bahnhof mussten sie nicht _____ Thilo _____, er war pünktlich!
5. Mereth hat _____ das Essen _____ und organisiert, dass jeder was mitbringt.
6. Thilo hat Fotos gemacht. So können sie sich gut _____ diesen Tag _____.
7. Linda _____ sich schon _____ den nächsten Kajak-Ausflug.

8

a Eine Verabredung. Ordnen Sie den Dialog.

1 Was hast du morgen vor? Wir könnten wieder mal schwimmen gehen. ____

2 Ach, schade, das passt mir nicht so gut, das ist zu spät. Aber am Samstag, gleich am Vormittag? Was hältst du davon? ____

3 Das ist eine gute Idee. Wann möchtest du denn am liebsten losfahren? ____

4 Ja, einverstanden. So um zehn. Wo treffen wir uns denn? ____

5 Nee, nee, zehn ist gut. Ich möchte ein bisschen länger schlafen. Es ist ja Samstag. ____

A Beim Schwimmbad oder an der S-Bahn. Ich ruf dich vorher einfach an. Oder sollen wir uns schon früher treffen?

B Klar. Bis dann. Ich ruf dich an.

C Hm, ich denke so gegen zehn. Ist das für dich auch eine gute Zeit?

D Von mir aus gern! Aber ich muss bis sechs arbeiten. Ich kann erst um sieben am Schwimmbad sein.

E Ja, das geht gut. Wenn das Wetter schön ist, können wir vielleicht sogar an den Wannsee fahren.

b Hören Sie. Sprechen Sie die Rolle vom Sprecher rechts (in Aufgabe 8a).

2.33

c Gemeinsam etwas planen. Sprechen Sie mit einem Partner / einer Partnerin über alle Punkte auf Ihrer Karte.

A Sie möchten am Samstag ein Picknick machen. Planen Sie es mit Ihrem Partner / Ihrer Partnerin.
– Sie schlagen drei Freunde vor.
– Sie kümmern sich um die Getränke.
– Sie möchten gegen 15.00 beginnen.
– Am Sonntag geht es bei Ihnen nicht.

B Ihr Partner / Ihre Partnerin möchte am Samstag ein Picknick machen. Planen Sie es gemeinsam.
– am Samstag können Sie erst ab 17:00 Uhr, am Sonntag haben Sie Zeit.
– Sie fragen, wer was mitbringt.
– Sie kümmern sich um Teller und Besteck.
– Ort: Sie schlagen „an der Brücke" vor.

9

Wortschatz

a Verben mit Präpositionen. Ergänzen Sie. Schreiben Sie dann die Sätze in Ihrer Sprache.

(sich) interessieren für • (sich) unterhalten über • diskutieren über

Das ist doch keine Kunst!   *Oh doch!*   *Immer nur Sport!*   *Wie war's in Italien?*   *Total schön!*

Sie _____ immer _____ Kunst.

Er _____ sich nur _____ Sport.

Sie _____ sich _____ den Urlaub.

Und in Ihrer Sprache?

_____   _____   _____

_____   _____   _____

b Was gehört zusammen? Verbinden Sie.

1. Ich freu' mich so!	Mit wem?	An den Termin heute Abend.
2. Ich telefoniere.	Auf wen?	Auf meine Prüfung. Sie ist echt schwer.
3. Wir unterhalten uns gerade.	Worauf?	Über ein Problem in unserer Firma.
4. Ich bereite mich vor.	Woran?	Auf meine Freundin. Sie kommt heute zurück.
5. Ich denke.	Worüber?	Mit meinen Eltern.

c Welches Fragewort ist für die unterstrichene Information nötig? Schreiben Sie.

1. Stefan bereitet sich <u>auf den Urlaub</u> vor. _____

2. Ilva denkt immer <u>an ihre Arbeit</u>. _____

3. Elna kümmert sich <u>um die Tickets</u> für die Reise. _____

4. Frank interessiert sich <u>für Computer</u>. _____

> sich freuen **auf**
> *Peter hat morgen Geburtstag.*
> *Er freut sich auf die Geschenke.*
>
> sich freuen **über**
> *Heute hat Peter Geburtstag.*
> *Er freut sich über die Geschenke: einen Basketball, Kinokarten und ein Buch.*

d Ergänzen Sie die Fragen.

1. Gestern ist es ziemlich spät geworden. Wir haben lange diskutiert. –
   Worüber denn? – Na, rate mal! Natürlich über Sport.

2. Interessierst du dich eigentlich für Sport? – Ja, besonders für Tennis. Und du, _____ interessierst du dich? – Für fast alles, nur nicht für Sport!

3. Tina hat sich gestern im Büro so über jemanden geärgert! – Wirklich? _____ denn? – Ach, ihre Chefin war so komisch.

4. Ich habe heute lange mit Björn gesprochen. – _____ denn? – Über seine Probleme bei der Arbeit.

5. Was hast du vor? – Ich muss mich vorbereiten. – _____ denn? – Auf die Prüfung.

6. Sieh mal das Foto mit den Studenten aus Italien! _____ erinnerst du dich noch? – An Pietro, der war immer so lustig.

> an wen • über wen • wofür • worauf • worüber • worüber

10 a Hören Sie. Welche Bedeutung hat der Satz mit dieser Betonung? Ordnen Sie zu.

🔊 2.34

1 <u>Mein</u> Freund Markus hat 100 Euro verloren. _C_

2 Mein <u>Freund</u> Markus hat 100 Euro verloren. ____

3 Mein Freund <u>Markus</u> hat 100 Euro verloren. ____

4 Mein Freund Markus <u>hat</u> 100 Euro verloren. ____

5 Mein Freund Markus hat <u>100</u> Euro verloren. ____

6 Mein Freund Markus hat 100 <u>Euro</u> verloren. ____

7 Mein Freund Markus hat 100 Euro <u>verloren</u>. ____

A *Nicht Dollar, sondern Euro.*

B *Nicht 10, sondern 100 Euro.*

C *Nicht dein Freund.*

D *Er hat das Geld nicht gefunden!*

E *Nicht mein Kollege Markus.*

F *Nicht mein Freund Ben!*

G *Wirklich, das stimmt!*

b Arbeiten Sie zu zweit. Jeder notiert einen Satz und unterstreicht drei verschiedene Betonungen. Tauschen Sie die Sätze und sprechen Sie.

Zeitreisen

11 **a** **Anders leben. Lesen Sie den Text und die Aussagen 1 bis 5. Was ist richtig? Kreuzen Sie an.**

Ein bisschen wie früher

„Wir können heute sofort alles bekommen, wenn wir das Geld dafür haben. Aber die meisten Dinge brauche ich nicht! Früher ist es auch anders gegangen." Andreas Prober ist kein Träumer, der in der Vergangenheit lebt. Der 28-jährige Programmierer ist verheiratet und hat ein kleines Kind.

Herr Prober fährt Auto, wenn er ein Auto braucht. Aber er findet, für kurze Strecken, also weniger als zwei Kilometer, ist das nicht nötig. Da geht er zu Fuß: „Früher war eine Viertelstunde oder 20 Minuten Gehen ganz normal." Strecken bis 10 km fährt er fast immer mit dem Fahrrad. Sein täglicher Weg zur Arbeit ist auch dabei. „Gehen und Radfahren sind gut für meine Gesundheit. Aber nicht nur das. Ich habe gemerkt, dass wir das Auto eigentlich gar nicht oft brauchen und so ganz schön viel Geld sparen. Ein Kilometer kostet mindestens 35 Cent", rechnet Herr Prober vor. „Und im Durchschnitt fährt ein Deutscher jedes Jahr 2000 km nur für kurze Strecken unter 2 km. Meine Familie und ich sparen also 700 Euro." Das Auto von Familie Prober ist inzwischen zum Nachbarschaftsauto für drei Familien geworden: „Wir machen unser privates Car-Sharing."

Bei Familie Prober gibt es auch nie Fertiggerichte. „Da sind viele Konservierungsmittel drin, die schuld an Allergien sein können", sagt Herr Prober. „Selbst gekochtes Essen schmeckt außerdem besser." Familie Prober kauft Obst und Gemüse je nach Jahreszeit und Angebot. „Es gibt bei uns von Mitte Juni bis Ende Juli richtig gute Erdbeeren und wir essen dann so viel, wie wir mögen. Und wir machen Marmelade. Aber wir kaufen im Winter keine Erdbeeren, die um die halbe Welt geflogen sind. Das hat es früher nicht gegeben und das muss heute auch nicht sein."

1.	**Herr Prober**	A ☐ lebt allein.
		B ☐ ist verheiratet.
		C ☐ hat zwei Kinder.
2.	**Herr Prober**	A ☐ fährt nicht gern mit dem Auto.
		B ☐ fährt kurze Strecken nicht mit dem Auto.
		C ☐ geht nicht gern zu Fuß.
3.	**Herr Prober**	A ☐ fährt mit dem Auto zu seiner Arbeit.
		B ☐ nimmt fast immer das Fahrrad für den Weg zur Arbeit.
		C ☐ arbeitet zu Hause. Er muss nicht zur Arbeit fahren.
4.	**Herr Prober**	A ☐ hat kein Auto.
		B ☐ macht ein privates Car-Sharing mit zwei anderen Familien.
		C ☐ leiht ein Auto bei seinen Nachbarn, wenn er es braucht.
5.	**Familie Prober**	A ☐ kauft Obst und Gemüse je nach Jahreszeit.
		B ☐ isst keine Marmelade, weil sie ungesund ist.
		C ☐ kauft im Winter kein Obst.

b **Welche Möglichkeit oder welches Ding aus dem modernen Leben brauchen oder nützen Sie nicht? Oder kennen Sie jemand, der etwas nicht nützt? Warum? Schreiben Sie.**

Mein Freund Louis fliegt nicht mit dem Flugzeug. Er reist gern, aber ...

12 Eine Zeitreise. Lesen Sie den Text. Welche Verbindungswörter fehlen? Ergänzen Sie.

Ich liebe Rock'n Roll! _Deshalb_ (1) würde ich in die 1950-er Jahre reisen. Natürlich würde ich in New York

leben _____ (2) könnte Bill Haley live hören. Meine Freundin und ich würden oft tanzen gehen,

_____ (3) in vielen Clubs so gute Bands spielen würden. Sie würde einen Pettycoat tragen. Wir könnten

auch bequem überall hinfahren, _____ (4) wir ein cooles Auto hätten: einen großen 57-er Chevy

_____ (5) einen Cadillac. _____ (6) bestimmt hätten wir ein Radio im Auto. Und ich hätte

auch schon einen Fernseher, _____ (7) natürlich nur schwarz-weiß.

....
aber • deshalb • oder • und • und • weil • weil • weil
....

Sprichwörter

13 a Die Zeit. Ordnen Sie die Redewendungen A bis F den Situationen zu.

A Wie die Zeit vergeht!

B Mir läuft die Zeit davon.

C Dafür nehme ich mir viel Zeit.

D Das lernst du mit der Zeit.

E Es ist höchste Zeit.

F Ich gebe Ihnen noch zwei Tage Zeit.

1. Ich brauche die fertige Arbeit erst in zwei Tagen. _F_

2. Wir müssen uns beeilen, es ist schon sehr spät. ____

3. Das ist mir sehr wichtig. ____

4. Was, wir haben uns zwei Jahre lang nicht gesehen? ____

5. Ich muss bald fertig sein und eigentlich brauche ich noch viel mehr Zeit. ____

6. Das geht nicht so schnell, aber bald kannst du es. ____

b Hören Sie und sprechen Sie selbst die Redewendungen A bis F mit.

2.35

c Hören Sie das Gedicht und lesen Sie die Aussagen 1 bis 4. Welche Aussage passt am besten zu Ihrem Eindruck von dem Gedicht? Sprechen Sie mit Ihrem Partner / Ihrer Partnerin.

2.36

die zeit vergeht

lustig
luslustigtig
lusluslustigtigtig
luslusluslustigtigtigtig
lusluslusluslustigtigtigtigtig
luslusluslusluslustigtigtigtigtigtig
lusluslusluslusluslustigtigtigtigtigtigtig
luslusluslusluslusluslustigtigtigtigtigtigtigtig

(Ernst Jandl)

1. Ich sehe eine Pyramide, wie in Ägypten. Die Pyramiden sind 4500 Jahre alt und stehen immer noch. Da ist viel Zeit vergangen.

2. Die Zeit vergeht lustig. Man muss die Zeit so verbringen, dass man viel Spaß hat.

3. Viele Leute machen in ihrem Leben nichts Wichtiges. Sie wollen nur Spaß haben.

4. „lus-lus-tig-tig": Uhren machen „tick, tick". Man hört hier, wie die Zeit vergeht.

Das kann ich nach Kapitel 11

R1 Sehen Sie die Bilder an. Schreiben Sie zu jedem Bild zwei Wünsche.

Ich wäre gern am Strand. ...

	☺☺	☺	😐	☹	KB	AB
✏ Ich kann Wünsche äußern.	☐	☐	☐	☐	3b, 4	3, 4

R2 Arbeiten Sie zu zweit. Beschreiben Sie Ihrem Partner / Ihrer Partnerin das Problem. Er/Sie gibt Ihnen Ratschläge.

A Problem: Sie haben in 3 Wochen eine Prüfung.
– Es ist Sommer und Sie möchten draußen sein.
– Sie bekommen oft Besuch von Freunden.
– Sie haben keine Zeit für Sport und Bewegung.

Ratschläge:
– feste Zeiten für gemeinsame Freizeit planen
– den Freunden erklären, dass Sie sich manchmal entspannen müssen
– gemeinsam entspannende Aktivitäten planen

B Problem: Sie sind immer müde und ohne Energie.
– Sie arbeiten sehr viel und lange.
– Ihre Freunde sind in der Freizeit sehr aktiv.
– Sie wollen mehr Zeit mit Ihren Freunden verbringen.

Ratschläge:
– einen Zeitplan machen und Freizeit einplanen
– die Freunde über die Prüfung informieren
– Termine für Bewegung einplanen

	☺☺	☺	😐	☹	KB	AB
💬 Ich kann Ratschläge geben.	☐	☐	☐	☐	5, 6	5a , 6

R3 Was sagen die zwei Personen? Notieren Sie Stichwörter in einer Tabelle.

⊙ 2.37–38

	Was ist das Problem?	Was hat sie schon versucht?	Was möchte sie machen?
Person 1			

	☺☺	☺	😐	☹	KB	AB
🎧 Ich kann kurze Texte über Zeitprobleme verstehen.	☐	☐	☐	☐	3a	

Außerdem kann ich		☺☺	☺	😐	☹	KB	AB
🎧	... Gespräche über das Leben früher verstehen.	☐	☐	☐	☐	1b	
🎧💬	... Wünsche verstehen und über Wünsche sprechen.	☐	☐	☐	☐	3, 4	3, 4
🎧💬	... gemeinsam etwas planen.	☐	☐	☐	☐	7a, b, 8	8b, c
💬✏	... andere etwas fragen und Informationen austauschen.	☐	☐	☐	☐	9, 11b	9b–d
📖	... einen Text über Zeitprobleme verstehen.	☐	☐	☐	☐	5	11a
📖	... Informationen über eine Zeitreise verstehen.	☐	☐	☐	☐	11a–c	12
📖💬	... Sprichwörter verstehen und über sie sprechen.	☐	☐	☐	☐	13a–c	13a
✏	... eine Geschichte schreiben.	☐	☐	☐	☐	13d	1

Lernwortschatz Kapitel 11

Lebensphasen

die Enkelin, -nen _____

die Fete, -n _____

das Heimweh (Singular) _____

die Welt, -en _____

die Welt kennenlernen _____

_____

betrunken sein _____

sich (beruflich) engagieren _____

sich entschuldigen _____

lügen _____

pensioniert sein _____

schwanger sein _____

sparen _____

sterben _____

tot sein _____

Stress

die Mittagspause, -n _____

der Ratschlag, Ratschläge _____

_____

sich aus|ruhen _____

erledigen _____

Ich muss noch etwas erledigen. _____

_____

klingeln _____

Ständig klingelt das Telefon. _____

_____

los|gehen _____

Das geht schon morgens los. _____

_____

streiten _____

weiter|gehen _____

Im Büro geht es dann so weiter. _____

_____

ständig _____

Ausflüge

das Kajak, -s _____

die Stimmung (Singular) _____

Die Stimmung ist toll. _____

backen _____

Ich muss noch Kuchen backen. _____

_____

unternehmen _____

etwas mit der Familie unternehmen _____

Zeitreise

das Abenteuer, – _____

die Kerze, -n _____

das Kerzenlicht, -er _____

die Zeitreise, -n _____

beginnen _____

Die Geschichte beginnt im Jahr ... _____

_____

fließen _____

fließendes Wasser _____

hart _____

Das Leben war hart. _____

kompliziert _____

selbstgebacken _____

Sprichwörter

die Enttäuschung, -en _____

die Geduld (Singular) _____

das Gold (Singular) _____

das Gras, Gräser _____

die Wunde, -n _____

Die Zeit heilt alle Wunden. _____

nutzen _____

Man sollte seine Zeit effektiv nutzen. _____

_____

scheinen _____

Es scheinen nur Minuten zu sein. _____

vergehen _____

Die Zeit vergeht schnell. _____

wachsen _____

ziehen _____

effektiv _____

andere wichtige Wörter und Wendungen

der Alkohol (Singular) _____

das Blut (Singular) _____

Der Arzt nimmt Blut ab. _____

bluten _____

der Kiosk, -e _____

die Rose, -n _____

diskutieren _____

Sie diskutieren über Kunst. _____

interessieren _____

Er interessiert sich nur für Sport. _____

recht haben _____

Da hast du recht. _____

schenken _____

Er schenkt ihr Rosen. _____

unterhalten _____

Wir unterhalten uns über Italien. _____

_____

aus _____

Von mir aus gern! _____

Alles bestens! _____

eigentlich _____

Wir wissen da eigentlich nicht genug. _____

_____

An Ihrer/deiner Stelle würde ich ... _____

_____

Klar, gern! _____

nicht nur ..., sondern auch ... _____

Was hältst du von ...? _____

wichtig für mich

_____

_____

_____

Schreiben Sie zu jedem Foto zwei Sätze.

_____

_____

_____

_____

12 Typisch, oder?

1

a Traditionen. Was kann man kombinieren? Verwenden Sie jedes Verb mindestens einmal.

> ein Fest • Freunde • das Haus • Neujahr • ein Geschenk • Gäste • den Tisch • besondere Gerichte • zwei Stunden • besondere Kleidung • Probleme
>
> dauern • feiern • vergessen • mitbringen • kochen • tragen • besuchen • dekorieren • vorbereiten • einladen

das Haus dekorieren

b Bilden Sie acht Sätze mit Ihren Kombinationen aus 1a.

Wenn wir Silvester feiern, dann dekorieren wir immer das ganze Haus.

2

a Lesen Sie die Texte über drei Feste und ergänzen Sie die fehlenden Wörter.

> Sommer • Blumen • Essen • Geschenke • Tage • Feste • Leute • Kleidung • Familie

Zuckerfest in der Türkei

Mit dem Zuckerfest feiern wir drei _____ (1) lang das Ende vom „Ramadan", dem Fastenmonat. Wir ziehen schöne _____ (2) an und gehen in die Moschee. Die ganze Familie kommt zusammen, wir kochen und essen gemeinsam. Und die Kinder bekommen _____ (3), meistens Geld und Süßigkeiten.

Ferragosto in Italien

Bei uns in Italien ist der 15. August der wichtigste Tag im _____ (4). Das ist oft auch der heißeste Tag. Die großen Städte sind leer, weil alle Leute mit ihrer _____ (5) ans Meer oder in die Berge fahren und ein Picknick machen. Überall in den kleinen Orten am Meer oder in den Bergen finden _____ (6) statt und am Abend gibt es dann oft ein Feuerwerk.

Mittsommerfest in Schweden

Wir feiern Mittsommer immer an einem Wochenende um den 24. Juni. Wir schmücken den Mittsommerbaum und tanzen dann um ihn herum. Manche _____ (7) tragen traditionelle Kleidung und die Kinder und Frauen haben _____ (8) im Haar. Wir singen und tanzen oft die ganze Nacht. Auch das _____ (9) ist wichtig: Kartoffeln und Hering und dann Erdbeeren!

b **Welche Feste aus 2a sind das? Notieren Sie die passenden Buchstaben.**

1. Dieses Fest feiert man mit der Familie.

    _A, B_

2. Das Fest dauert meistens bis zum nächsten

    Morgen. _____

3. Man schenkt den Kindern etwas. _____

4. Viele Leute fahren in die Natur. _____

5. Die Leute tragen schöne oder besondere

    Kleidung. _____

6. Das Fest findet jedes Jahr am gleichen Tag

    statt. _____

7. Man dekoriert einen Baum und tanzt. _____

8. Die Leute essen zusammen. _____

c **Und was feiern Sie? Ergänzen Sie die E-Mail.**

Hallo Lisa,

du kommst doch nächste Woche, oder? Das ist toll, denn da feiern wir _____

_____. Bei diesem Fest _____

_____ .

Es dauert immer _____ .

Auch das Essen ist wichtig: Normalerweise gibt es _____

_____

Etwas Besonderes ist auch noch, dass _____

_____

Aber du siehst ja nächste Woche alles selbst. Ich freue mich, dass du dabei sein kannst! Wann kommst du an?

3 **Einladungen in Deutschland. Hören Sie den Radiobeitrag. Sind die Aussagen richtig oder falsch? Kreuzen Sie an.**

2.39

		richtig	falsch
1.	Zu einem Abendessen sollte man am besten pünktlich kommen.	☐	☐
2.	Bei Partys muss man pünktlich sein und darf höchstens fünf bis zehn Minuten zu spät kommen.	☐	☐
3.	Man muss vorher nichts sagen, wenn man ein paar Freunde mitbringt.	☐	☐
4.	Auch bei großen Festen ist es normal, dass man Freunde allein einlädt, ohne den Partner oder die Partnerin.	☐	☐
5.	Man macht den Gastgebern eine Freude, wenn man ein paar Blumen mitbringt.	☐	☐
6.	Am Ende sollte man sich für den schönen Abend bedanken.	☐	☐
7.	Bei manchen Festen ist es auch wichtig, dass man sich am nächsten Tag bedankt.	☐	☐
8.	Wenn man nicht weiß, welche Kleidung man tragen soll, kann man einfach fragen.	☐	☐
9.	Man muss die Gastgeber vorher nicht informieren, wenn man nicht zur Feier kommt. Sie merken ja selbst, dass man nicht da ist.	☐	☐

Das macht man bei uns nicht!

4

a Was planen die Personen? Bilden Sie Sätze mit *um ... zu*.

> Er trifft seine Freunde. • Ich lerne Deutsch. • Du informierst dich über eine Reise. •
> Sie besucht ihre Tante. • Wir kaufen für das Fest ein.

1. Ich mache einen Sprachkurs, *um Deutsch zu lernen* _____ .

2. Im August fährt Carina nach Paris, _____ .

3. Wir fahren zum Supermarkt, _____ .

4. Achmed geht ins Café, _____ .

5. Du rufst im Reisebüro an, _____ .

> **!**
> Bei trennbaren
> Verben steht „zu"
> hinter dem Präfix.
> *Ich schicke Maria
> eine E-Mail, um sie
> ein**zu**laden.*

b Lesen Sie die *damit*-Sätze und kreuzen Sie an, wo auch ein Satz mit *um ... zu* möglich ist. Schreiben Sie dann diese Sätze mit *um ... zu*.

1. Wir kaufen viel Obst und Gemüse, damit unsere Kinder gesund bleiben. ☐

2. Ich schlafe viel, damit ich bald wieder gesund werde. ☐

3. Lea erklärt ihren Freunden die Regeln, damit alle das Spiel zusammen spielen können. ☐

4. Heute Abend bleiben wir zu Hause, damit wir uns mal wieder in Ruhe unterhalten. ☐

_____

_____

c Schreiben Sie die Sätze mit *damit* oder *um ... zu*. Verwenden Sie *um ... zu*, wenn es möglich ist.

1. Karim kommt pünktlich ins Restaurant. Seine Freundin muss nicht warten.

   Karim kommt pünktlich ins Restaurant, damit ... _____ .

2. Alle ziehen die Schuhe aus. Die Wohnung wird nicht schmutzig.

   _____ .

3. Man spricht im Restaurant nicht zu laut. Man stört die anderen Gäste nicht.

   _____ .

4. Ich stehe in der U-Bahn auf. Die alte Dame kann sich setzen.

   _____ .

5. Man sagt „Bitte" und „Danke". Man ist freundlich zu anderen Leuten.

   _____ .

6. Man bleibt an der roten Ampel stehen. Die Kinder tun das auch.

   _____ .

d Ergänzen Sie die Sätze.

1. Ich habe meinen Freund angerufen, damit _____ .

2. Ich fahre nach _____ , um _____ .

3. Meine Familie trifft sich oft/manchmal, damit _____ .

4. Ich lerne Deutsch, um _____ .

5 Wozu genau machen die Personen das? Schreiben Sie die Sätze.

1. _Die Frau_ _____

2. _____

3. _____

4. _____

6 Sie haben Post. Lesen Sie die E-Mail und schreiben Sie eine Antwort mit mindestens drei Ratschlägen. Kreuzen Sie in der Checkliste an, was Sie bei Ihrer Antwort beachten müssen.

Hallo ...,

ich habe dir ja schon erzählt, dass ich nächsten Monat zwei Wochen beruflich in dein Heimatland fahre. Weil ich aber noch nie dort war, bin ich unsicher: Ich habe wirklich überhaupt keine Ahnung, was höflich ist und was nicht. Könntest du mir ein paar Tipps geben? Das wäre super!

Viele Grüße
Patrick

Das habe ich gemacht:

– Denken Sie an die Anrede und die Grußformel am Schluss. ☐

– Schreiben Sie einen Einleitungssatz wie z. B.: _Ich freue mich, dass du nach ... fährst._ ☐

– Verwenden Sie Konnektoren wie _weil, wenn, damit, um ... zu, ..._ ☐

– Achten Sie auf die Position von Verb und Subjekt. ☐

– Lesen Sie Ihren Text am Ende noch einmal und korrigieren Sie ihn. ☐

Du oder Sie?

7 **Wer sagt was? Sehen Sie die Bilder an und ordnen Sie die Sprechblasen zu.**

Guten Morgen, Frau Goerke.
Sie sind ja schon früh da.

Darf ich Ihren
Hund streicheln?

Klar. Was willst
du denn wissen?

Oma, kommst du
jetzt endlich?

Kannst du mir helfen?
Ich habe eine Frage.

Ja, ich habe
heute viel zu tun.

8 **a Anrede-Regeln in verschiedenen Ländern. Welcher Beitrag passt zu Deutschland? Lesen Sie die Forumsbeiträge und kreuzen Sie an.**

☐ **mika23** In meinem Heimatland haben wir eigentlich zwei Möglichkeiten, nämlich „du" oder „Sie". Aber „Sie" verwendet man nur sehr selten. Schon beim ersten Kennenlernen wechselt man normalerweise von „Sie" auf „du", auch im Beruf.

☐ **joann@** Wir haben nur eine Form, und das ist ein „Du". Für mich ist das ganz normal, denn so gibt es keine Unterschiede. Außerdem ist es einfach, weil man nicht nachdenken muss, welche Anrede man verwenden sollte. Man kann aber trotzdem höflich und weniger höflich mit anderen Menschen sprechen, denn dafür gibt es noch viele andere Möglichkeiten.

☐ **prinz** In meiner Sprache haben wir „Du" und „Sie" und verwenden beides. Es hängt zum Beispiel vom Alter ab, welche Form man verwendet. Eine Rolle spielt auch, wie gut man sich kennt und in welcher Situation man ist. Ich finde das sehr gut, denn man kann so mit der Sprache Höflichkeit, Nähe oder Respekt ausdrücken.

☐ **sonne2** Höflichkeit ist in meinem Land sehr wichtig, deshalb haben wir sogar mehr als zwei Anredeformen. Wir haben Ergänzungen, die wir an den Namen hängen. Es ist wichtig, dass man so Respekt zeigt. Für Ausländer ist das sehr schwer, weil es in anderen Sprachen meistens viel einfacher ist.

b Welche Person aus dem Forum in 8a sagt das? Notieren Sie den Nicknamen.

1. Bei uns gibt es das Problem nicht. Es gibt keine verschiedenen Wörter für die Anrede. _____

2. In meiner Sprache ändert man auch die Form von einem Namen, wenn man höflich sein will.

   _____

3. In meinem Land sagt man zu den meisten Leuten „du". _____

c Schreiben Sie auch einen Kommentar wie in 8a: Welche Anrede-Regeln gefallen Ihnen am besten?

> *Du und Sie? Das ist mir zu kompliziert.*
> *Ich finde, ...*

d Du oder Sie? Lesen Sie den Text in Aufgabe 8a im Kursbuch noch einmal und kreuzen Sie an: Sind die Aussagen richtig oder falsch?

	richtig	falsch
1. Ein vierjähriges Kind sagt „Sie" zu Erwachsenen.	☐	☐
2. In der Familie duzt man alle, egal wie alt sie sind.	☐	☐
3. Für Deutschland, Österreich und die Schweiz gibt es unterschiedliche Regeln.	☐	☐
4. In Lokalen kann der Gast entscheiden, ob er „du" oder „Sie" verwendet.	☐	☐
5. Bei der Arbeit gibt es keine festen Regeln für die Anrede.	☐	☐

e Lesen Sie die Mail von Ria. Welches Problem hat sie? Kreuzen Sie an.

a Sie weiß nicht, wann sie „Sie" verwenden soll.

b Jemand hat sie um Hilfe gebeten und sie konnte nicht helfen.

c Sie weiß nicht, wie man fremde Leute anspricht.

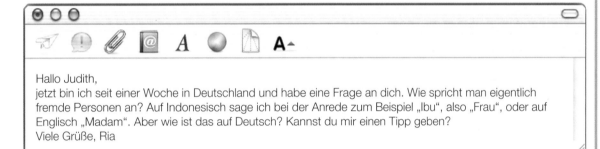

Hallo Judith,
jetzt bin ich seit einer Woche in Deutschland und habe eine Frage an dich. Wie spricht man eigentlich fremde Personen an? Auf Indonesisch sage ich bei der Anrede zum Beispiel „Ibu", also „Frau", oder auf Englisch „Madam". Aber wie ist das auf Deutsch? Kannst du mir einen Tipp geben?
Viele Grüße, Ria

f Lesen Sie die Antwort von Judith und markieren Sie die Tipps. Macht man das bei Ihnen genauso oder anders?

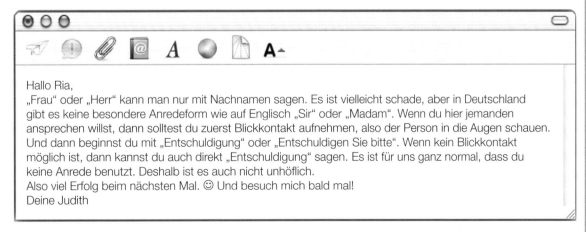

Hallo Ria,
„Frau" oder „Herr" kann man nur mit Nachnamen sagen. Es ist vielleicht schade, aber in Deutschland gibt es keine besondere Anredeform wie auf Englisch „Sir" oder „Madam". Wenn du hier jemanden ansprechen willst, dann solltest du zuerst Blickkontakt aufnehmen, also der Person in die Augen schauen. Und dann beginnst du mit „Entschuldigung" oder „Entschuldigen Sie bitte". Wenn kein Blickkontakt möglich ist, dann kannst du auch direkt „Entschuldigung" sagen. Es ist für uns ganz normal, dass du keine Anrede benutzt. Deshalb ist es auch nicht unhöflich.
Also viel Erfolg beim nächsten Mal. ☺ Und besuch mich bald mal!
Deine Judith

g Schreiben Sie selbst auch eine Mail an Ria und erklären Sie, wie man in Ihrem Heimatland Fremde anspricht.

9

2.40

a **Hören Sie das Gespräch. Welche Informationen gibt Rafaela zu den Personen? Notieren Sie.**

Julia:

Regina:

Leander:

Anna:
– *R. kennt sie schon lange*
– *arbeiten ...*

Maria:

Charlotte:

b **Lesen Sie die Sätze und kreuzen Sie an, welcher Satz passt.**

1. Das sind die Kolleginnen, die ich besonders gern mag.
   - [a] Ich mag die Kolleginnen.
   - [b] Die Kolleginnen mögen mich.

2. Herr Zboril da hinten rechts ist der Kollege, den ich oft anrufe.
   - [a] Herr Zboril ruft mich oft an.
   - [b] Ich rufe Herrn Zboril oft an.

3. Ich habe eine Praktikantin, die mich oft um Hilfe bittet.
   - [a] Ich bitte die Praktikantin oft um Hilfe.
   - [b] Die Praktikantin bittet mich oft um Hilfe.

4. Ich arbeite in einem Team, das mich sehr motiviert.
   - [a] Das Team motiviert mich.
   - [b] Ich motiviere das Team.

c **Schreiben Sie die Sätze zu Ende.**

1. Gerd isst am liebsten Pizza, *die er selbst gemacht hat.* _____
   (Er hat sie selbst gemacht.)

2. Er fährt oft mit dem Fahrrad, _____
   (Seine Freundin hat es ihm geschenkt.)

3. Am Vormittag trinkt er einen Kaffee, _____
   (Seine Sekretärin hat ihn gekocht.)

4. Im Moment arbeitet er mit einem Kollegen, _____
   (Er mag den Kollegen besonders gern.)

5. Er bekommt viele Aufträge von Kunden, _____
   (Er kennt sie schon lange.)

d **Relativpronomen im Nominativ (N) oder Akkusativ (A)? Markieren Sie und ergänzen Sie dann das Relativpronomen.**

1. Ich habe mir eine Hose gekauft,

   a _*die*_ mir gut steht. N/A

   b _____ gerade modern ist. N/A

   c _____ ich auf dem Fest tragen will. N/A

2. Ich habe gestern ein Auto gesehen,

   a _____ mir total gut gefällt. N/A

   b _____ ich mir kaufen möchte. N/A

   c _____ toll aussieht. N/A

3. Auf dem Tisch liegen die Bücher,

   a _____ mir wichtig sind. N/A

   b _____ ich im Urlaub gelesen habe. N/A

   c _____ ich dir leihen möchte. N/A

4. Clemens ist ein Freund,

   a _____ ich seit der Schulzeit kenne. N/A

   b _____ immer gute Laune hat. N/A

   c _____ ich oft treffe. N/A

10 a Aussage oder Frage? Hören Sie und notieren Sie die Satzzeichen „.“ oder „?“. Lesen Sie die
Sätze und Fragen laut.

2.41

1. Sascha ist erst zwanzig ___
2. Sascha lernt Deutsch ___
3. Er war in Frankfurt ___
4. Sein Bruder ist Millionär ___

5. Sascha liebt Paula ___
6. Paula hat zwei Kinder ___
7. Er kommt heute ___
8. Sie machen morgen ein Fest ___

b Lesen Sie den Dialog und notieren Sie die Satzzeichen „.“ oder „?“. Hören Sie dann Susan
und sprechen Sie die Rolle von Beatrix.

2.42

Susan: Hast du schon das Neueste gehört ___ Sascha hat geheiratet ___

Beatrix: Sascha hat geheiratet ___ Warum hat mir das niemand gesagt ___

Susan: Es war ein Geheimnis. Ich habe es selbst erst gestern gehört ___

Beatrix: Erst gestern ___

Susan: Ja, erst gestern. Aber sie machen noch ein großes Fest, nächsten Samstag ___

Beatrix: Nächsten Samstag ___ Da habe ich keine Zeit.

Immer diese Klischees ...

11 a Bilder im Kopf. Was verbinden Sie mit Deutschland, Österreich und der Schweiz? Notieren
Sie zu jedem Land einige Stichpunkte. Vergleichen Sie in der Gruppe.

Wortschatz

> Ordnung • Wirtschaft • Qualität • viel Industrie • Natur • Regen und Wolken • ...

Österreich   Deutschland   Schweiz

b Formulieren Sie die Stichpunkte aus 11a so, dass Sie Ihre subjektive Meinung ausdrücken.
Verwenden Sie dazu die Redewendungen.

> Oft hört man, ... • Ich habe immer gedacht, dass ... • Einmal habe ich erlebt, dass ... •
> Mir ist (nicht) aufgefallen, dass ... • Manche Leute sagen, dass ...

1. *Ich habe immer gedacht, dass Qualität typisch für die Schweiz ist.*
2. _____
3. _____
4. _____
5. _____
6. _____
7. _____

12 a Lesen Sie den Text in Aufgabe 12a im Kursbuch noch einmal und beantworten Sie die Fragen.

1. Wo hat der Autor studiert? a In Österreich. b In den USA. c In Deutschland.
2. Wie findet der Autor Traditionen wie den Opernball? a Sehr gut. b Interessant. c Blöd.
3. Wer kann Ski fahren? a Der Autor. b Seine Freunde. c Alle Österreicher.
4. Wer ist höflicher? a Die Österreicher. b Die Deutschen. c Beide sind gleich höflich.
5. Der Autor denkt, Klischees … a stimmen selten. b stimmen für alle. c stimmen zum Teil.

b Schreiben Sie einen Kommentar zum Text in Aufgabe 12a im Kursbuch.

Lieber Blogger,

ich habe deinen Eintrag über österreichische Klischees gelesen. Ich finde deine Informationen _____

_____

_____

_____

_____

c Klischees über die Schweiz. Bringen Sie die Sätze in die richtige Reihenfolge.

_____ Drittens sind nicht alle Schweizer reich.

_____ Am häufigsten hört man als Schweizer, dass die Schweizer sehr ordentlich sind.

_1_ Mein Thema sind Klischees über die Schweiz.

_____ Ein zweites Klischee ist das Essen. Wir Schweizer ernähren uns nicht nur von Käse und Schokolade, aber beides ist sehr lecker.

_____ Für meine Freunde und mich stimmt das nicht, wir sind oft ziemlich chaotisch.

_____ Abschließend möchte ich sagen, dass mir einige Klischees gut gefallen. Ich wohne nämlich gern dort, wo es viele Berge, gute Luft und leckeres Essen gibt.

_____ Die Banken sind wichtig, aber nicht alle Menschen haben viel Geld.

13 Lesen Sie den folgenden Kommentar zum Thema Klischees und ergänzen Sie die Lücken.

Ich _____ (1) aus Deutschland und möchte etwas _____ (2) deutsche Klischees schreiben.

Eine häufige Meinung ist, _____ (3) die Deutschen immer pünktlich und ordentlich sind. Das

_____ (4) sicher für einige Menschen und die meisten gehen pünktlich zur _____ (5) und zu

beruflichen Terminen, aber privat ist das _____ (6) immer so. Ein anderes _____ (7) ist, dass alle

Deutschen gern Auto fahren. Natürlich haben viele Deutsche _____ (8) Auto, aber auch Fahrradfahren

_____ (9) sehr beliebt. Oder die Menschen gehen zu Fuß oder fahren mit _____ (10) Bus. Ich

denke, in Deutschland _____ (11) man nicht häufiger mit dem Auto als in anderen europäischen Ländern.

Zum _____ (12) möchte ich sagen, dass ich erst _____ (13) Ausland über deutsche Klischees

nachgedacht habe. Es ist interessant, dass man dann einen anderen Blick auf sein Heimatland bekommt. Viele

Klischees sind zum Teil _____ (14), aber sie treffen nie für alle Menschen in einem Land zu.

fährt • nicht • richtig • dass • Klischee • Arbeit • komme • stimmt • ein • im • dem • Schluss • ist • über

Das kann ich nach Kapitel 12

R1 Arbeiten Sie zu zweit. Jeder wählt drei Fragen und stellt sie dem Partner / der Partnerin. Antworten Sie mit *damit* oder *um ... zu.*

Wozu braucht man einen Computer?
Wozu lernen Sie Deutsch?
Wozu fährt man in Urlaub?

Wozu machen Sie Sport?
Wozu braucht man ein Handy?
Wozu brauchen Sie Geld?

	☺☺	☺	😐	☹	KB	AB
💬✎ Ich kann Absichten ausdrücken.	☐	☐	☐	☐	4–5	4–5

R2 Arbeiten Sie zu zweit und schreiben Sie zu jedem Bild einen kurzen Dialog. Achten Sie auf die Anrede. Spielen Sie die Dialoge vor.

Mensa-Preise Studenten: 3,50€
Gäste: 5,00€

	☺☺	☺	😐	☹	KB	AB
💬 Ich kann die passende Anrede verwenden.	☐	☐	☐	☐	7	8a, c

R3 Schreiben Sie die Sätze mit den Stichpunkten zu Ende.

1. Ich treffe heute eine Freundin, _____ (seit 15 Jahren kennen).

2. Ich war bei den Freunden, _____ (mich oft einladen).

3. Dort steht das Auto, _____ (super finden).

4. Leider ist der Wagen, _____ (kaufen wollen), zu teuer.

	☺☺	☺	😐	☹	KB	AB
✎ Ich kann nähere Informationen zu einer Person oder Sache geben.	☐	☐	☐	☐	9	9

Außerdem kann ich	☺☺	☺	😐	☹	KB	AB
🎧 ... eine Radiosendung über Benehmen verstehen.	☐	☐	☐	☐		3
🎧 ... Gespräche über Klischees verstehen.	☐	☐	☐	☐	11b, c	
💬 ... über Benehmen sprechen.	☐	☐	☐	☐	4–6	
💬✎ ... über Anredeformen sprechen und schreiben.	☐	☐	☐	☐	8	8g
💬✎ ... über Klischees sprechen und schreiben.	☐	☐	☐	☐	11a, d, 13	11b, 12b
📖🎧 ... Informationen über andere Kulturen verstehen.	☐	☐	☐	☐	1–3	2a, b
📖🎧 ... Tipps in einem Text verstehen.	☐	☐	☐	☐	8	8f
📖 ... einen Blog über Klischees verstehen.	☐	☐	☐	☐	12	12a
✎ ... über Traditionen in meinem Land schreiben.	☐	☐	☐	☐		2c
✎ ... über Benehmen in meinem Land schreiben.	☐	☐	☐	☐		6

Lernwortschatz Kapitel 12

Traditionen

der Gast, Gäste _____

die Gastfreundschaft (Singular) _____

der Gastgeber, – _____

die Gastgeberin, -nen _____

Neujahr (ohne Artikel) _____

Silvester (ohne Artikel) _____

Silvester und Neujahr feiern _____

die Kaffeebohne, -n _____

der Ofen, Öfen _____

die Tradition, -en _____

die Zeremonie, -n _____

der Wandergeselle, -n _____

der Geselle, -n _____

die Wanderschaft (Singular) (= die Walz) _____

dazu|gehören _____

dekorieren _____

rösten _____

streng _____

Wenn man die Tradition streng sieht, ... _____

Höflichkeit

das Benehmen (Singular) _____

die Hausschuhe (Plural) _____

die Höflichkeit (Singular) _____

die Portion, -en _____

die Regel, -n _____

die Sache, -n _____

die Sache mit den Schuhen _____

die Sorge, -n _____

Mach dir keine Sorgen. _____

das Taschentuch, -tücher _____

an|lassen _____

die Schuhe anlassen _____

beeindrucken _____

heißen _____

Das heißt, dass er zuhört. _____

hoch|ziehen _____

die Nase hochziehen _____

putzen _____

die Nase putzen _____

schlürfen _____

um|rühren _____

gierig _____

höflich ↔ unhöflich _____

klar _____

neulich _____

Neulich war ich bei einem Kollegen. _____

normal _____

traditionell _____

typisch _____

sicher ↔ unsicher _____

sich sicher sein _____

unzufrieden _____

jemanden anreden

die Ausnahme, -n _____

der/die Bekannte, -n _____

die Distanz, -en _____

der/die Erwachsene, -n _____

an|bieten _____

das Du anbieten _____

duzen (= „du" sagen) _____

siezen (= „Sie" sagen) _____

automatisch _____

Erwachsene siezen sich automatisch. _____

befreundet _____

generell _____

Generell gilt, dass man ... _____

korrekt _____

passend _____

die passende Anrede finden _____

über Klischees reden

die Eigenschaft, -en _____

das Klischee, -s _____

Ein typisches Klischee ist, dass ... _____

_____

die Ordnung (Singular) _____

der Quatsch (Singular) _____

So ein Quatsch! _____

beleidigt _____

schnell beleidigt sein _____

persönlich _____

Ich persönlich interessiere mich für ... _____

_____

überhaupt _____

Ich kann überhaupt nicht ... _____

unterschiedlich _____

Das ist von Mensch zu Mensch unterschiedlich. _____

einen Text schreiben

die Aussage, -n _____

die Meinung, -en _____

das Thema, Themen _____

der Schluss (Singular) _____

zum Schluss kommen _____

die Zusammenfassung, -en _____

äußern _____

die Meinung äußern _____

zusammen|fassen _____

abschließend _____

andere wichtige Wörter und Wendungen

der/die Einzige, -n _____

Ich war der Einzige in Socken. _____

_____

die Industrie, -n _____

die Qualität (Singular) _____

die Wirtschaft (Singular) _____

kriegen _____

Ich kriege eine Suppe. _____

_____

Gib Acht! _____

eher _____

hier und dort _____

möglich _____

so leise wie möglich _____

nämlich _____

schließlich _____

um _____

Ich grüße, um höflich zu sein. _____

_____

wichtig für mich

_____

_____

_____

Schreiben Sie die Wörter mit Artikel.

BE   DI   FREUND   GAST   GEL   MEN   MO   NEH   NIE   NUNG   ORD   RE   RE   SCHAFT   TION   TRA   ZE

_____

_____

_____

Lesen: Teil 3 – Kleinanzeigen verstehen

1 Was können Sie schon? Kreuzen Sie an.

Ich kann …

☐ … kurze, einfache Texte verstehen.

☐ … einfache Anzeigen verstehen.

☐ … wichtige Informationen in Texten finden.

> Sie lesen in der Prüfung (Lesen: Teil 3) eine Beispielsituation, fünf weitere Situationen und acht Anzeigen (aus der Zeitung oder dem Internet). Sie suchen für jede Situation eine passende Anzeige. Für eine Situation gibt es keine Anzeige. Drei Anzeigen bleiben übrig.

2 Lesen Sie die Situationen und die Anzeigen. Achten Sie auf die markierten Informationen und ordnen Sie die Anzeigen zu.

1 Ihr Freund hat bald Urlaub und möchte einen Deutschkurs machen. Der Kurs soll jeden Tag stattfinden. ____

2 Sie suchen einen Nebenjob. Sie mögen Sprachen und Kontakt mit anderen Menschen und haben am Nachmittag Zeit. ____

> Manche Situationen und Anzeigen sind sehr ähnlich. Lesen Sie ganz genau und markieren Sie die wichtigen Informationen.

Urlaub, Menschen und mehr! A

Wir organisieren spannende Kulturreisen.
Fahren Sie mit netten Menschen
durch ganz Deutschland!
Mehr Infos: www.busreisen-kampe.de

Deutsch, Englisch, Spanisch und, und, und … B

Besuchen Sie unsere Ferienintensivkurse!
Unterricht täglich von 9–13 Uhr. Auch Einzeltraining möglich.
Sprachschule Bellalingua
0221 – 89 44 310
Mitten im Zentrum

C **Sprachschule sucht Assistenten**

Sprache ist Ihr Hobby? Sie interessieren sich für
Menschen und Kulturen?

Ihre Stelle: Sie organisieren das Freizeitprogramm für
unsere Studenten. Täglich von 14–17 Uhr, nettes Team!

www.sprach-institut-könig.de

3 Die Prüfungsaufgabe

> Teil 3
> Lesen Sie die Anzeigen a–h und die Aufgaben 1–5.
> Welche Anzeige passt zu welcher Situation?
> Für eine Aufgabe gibt es keine passende Lösung. Schreiben Sie hier den Buchstaben X.

Beispiel

0 Sie wollen nicht mehr zu Hause arbeiten und suchen einen Büroraum.

Situation	0	1	2	3	4	5
Anzeige	*d*					

1 Ihr Haus ist schon alt. Sie suchen jemanden, der es renoviert.

2 Sie gehen zwei Jahre ins Ausland und möchten Ihre Wohnung für diese Zeit vermieten.

3 Es ist Samstagabend und Sie stehen vor Ihrer Tür. Ihr Wohnungsschlüssel ist weg.

4 Sie machen für sechs Monate ein Praktikum in Köln und suchen ein Zimmer im Zentrum.

5 Sie möchten, dass sich jemand um Ihre Katze kümmert, wenn Sie im Urlaub sind.

a
Wir suchen Dich!
WG in Köln sucht Mitbewohner für mindestens ein halbes Jahr. Wenn du ein günstiges Zimmer (250 € inkl.) suchst und nett bist, ruf an: 0221-43189294

b
Tornlach – der Baumarkt in Köln
Sie wollen Ihre Wohnung modernisieren oder Ihren Garten verschönern?
Bei uns finden Sie alles, was Sie brauchen!
Tornlach – Seidterstr. 108 – 50670 Köln

c
Der Schlüssel zum Glück!
3-Zimmer-Wohnung in sehr guter Lage zu verkaufen. Informieren Sie sich unter www.schlüsselzumglück.de

d
Architekturbüro bietet Arbeitsraum
Wir sind in einen großen Altbau gezogen und haben zu viel Platz. Deshalb vermieten wir ein Zimmer: ca. 20 qm und sehr hell.
0221 / 458990114

e
Aus alt wird neu mit den „Hausengeln"
Seit 15 Jahren modernisieren wir Häuser und Wohnungen. Wir garantieren Zuverlässigkeit und Qualität zum fairen Preis.
Kostenlose Beratung: 0221/7831000

f
Schnell – preiswert – professionell
Schlüsseldienst Kirchner ist 24 Stunden täglich für Sie da, auch am Wochenende.
Für Sie öffnen wir alle Türen!
SD Kirchner
0221-892199 oder 0172-903101283

g
Mein Service für Sie
Ich bin 22 Jahre alt, tierlieb und zuverlässig und kümmere mich gern um Ihre Haustiere, wenn Sie Ferien haben.
0156-898983331 oder mitzi@gxm.de

h
Möbelpacker – Attraktiver Job für Studenten
Wir suchen sportliche und flexible Leute. Aufgaben: Verpacken und Transport von Möbeln und Umzugskisten. Gutes Gehalt!
Umzug Meier 0221-2020888

Sprechen: Teil 3 – Etwas aushandeln

4 **Was können Sie schon? Kreuzen Sie an.**

Ich kann ...

☐ ... mich verabreden.　　　　　　　☐ ... etwas begründen.

☐ ... Vorschläge machen und reagieren.　☐ ... auf Informationen reagieren.

☐ ... gemeinsam mit anderen Personen etwas planen.

> In der Prüfung (Sprechen: Teil 3) handeln Sie zusammen mit einem Partner / einer Partnerin etwas aus. Sie sollen sich z. B. zu einer gemeinsamen Aktivität verabreden oder Aufgaben besprechen (ein Fest planen, den Haushalt organisieren, ...). Für das Gespräch bekommen Sie einen Zettel mit Informationen, z. B. einen Terminkalender, einen Einkaufszettel oder eine Liste mit Arbeitsaufträgen.

5

a **Sehen Sie das Beispiel an. Bringen Sie die Tipps in eine passende Reihenfolge.**

Eine Freundin hat Geburtstag. Sie wollen morgen zusammen mit Ihrem Partner / Ihrer Partnerin ein Geschenk für sie kaufen. Finden Sie einen gemeinsamen Termin. Machen Sie Vorschläge.

A	
9.00	Max zum Bahnhof bringen
10.00	Einkaufen auf dem Markt
11.00	
12.00	Fitness-Studio
13.00	Treffen mit Ole und Vera

B	
9.00	6 bis 9 Job in der Bäckerei
10.00	
11.00	ab 9.30 Oma besuchen
12.00	
13.00	lernen: Test am Dienstag!!!

Tipp ☐ Wann haben Sie genug Zeit? Schlagen Sie Ihrem Partner diesen Termin vor.

Tipp [1] Lesen Sie Ihren Kalender genau. Welche Termine können Sie nicht ändern?

Tipp ☐ Prüfen Sie: Passt der Gegenvorschlag von Ihrem Partner zu Ihrem Zeitplan?

Tipp ☐ Stimmen Sie zu, wenn der Terminvorschlag von Ihrem Partner auch für Sie möglich ist.

Tipp ☐ Nennen Sie am Schluss noch einmal den Termin.

Tipp ☐ Schlagen Sie einen Treffpunkt vor, wenn Sie einen Termin gefunden haben.

b **Wo passen die Aussagen? Ordnen Sie in der Tabelle zu.**

1. Können wir uns um ... treffen? Hast du da Zeit?
2. Nein, leider. Da ...
3. Ja, schon, aber ich habe um ... einen Termin ...
4. Kannst du vielleicht auch früher/später, um ...?
5. Geht das/... bei dir nicht früher/später?
6. Dann machen wir es also so: Am ... um ...
7. Kannst du um ... bei/in ... sein?
8. Das ist gut. Also dann, um ... bei/in ...
9. Okay, dann mache ich das früher/später.

> **!**
> **Spielen Sie das Gespräch wie ein echtes Gespräch.** Seien Sie im Gespräch aktiv. Stellen Sie viele Fragen. Antworten Sie nicht nur kurz! Sagen Sie Ihrem Partner/Ihrer Partnerin auch, warum Sie nicht können. Seien Sie höflich – und lächeln Sie.

einen Vorschlag machen	zustimmen oder ablehnen	einen Gegenvorschlag machen	am Ende das Ergebnis sagen
1., ...			

6 Die Prüfungsaufgabe

Teil 3

Etwas aushandeln (Kandidat A).
Sie wollen am Samstag eine Stunde zusammen im Fitness-Studio trainieren.
Finden Sie einen passenden Termin. Machen Sie Vorschläge.

Samstag, 25. Juni

7.00	
8.00	
9.00	→ ausschlafen!!!
10.00	Frühstück mit Pavel und Monika
11.00	11.30 Tom holt Grill und Campingstühle
12.00	
13.00	mit Hund spazieren gehen, kleines Geschenk für Tom kaufen!!
14.00	
15.00	lernen für Abschlussprüfung
16.00	
17.00	
18.00	Grillen bei Tom
19.00	
20.00	

Teil 3

Etwas aushandeln (Kandidat B).
Sie wollen am Samstag eine Stunde zusammen im Fitness-Studio trainieren.
Finden Sie einen passenden Termin. Machen Sie Vorschläge.

Samstag, 25. Juni

7.00	
8.00	
9.00	Wochenmarkt am Hallerplatz
10.00	Trainerstunde Tennis
11.00	
12.00	Mittagessen „Café Hedwig" mit Ella
13.00	
14.00	Wohnung aufräumen, Bad putzen
15.00	Eltern kommen zum Kaffee
16.00	
17.00	Klavier üben
18.00	Kinder von Geburtstagsfest abholen
19.00	Filmfestival im Leo-Kino: „Tuya"
20.00	

G

Unregelmäßige Verben

Infinitiv	Präsens Singular	Partizip II	Beispielsatz
abschließen	er schließt ab	hat abgeschlossen	Hast du die Tür abgeschlossen?
anbieten	er bietet an	hat angeboten	Hast du ihm einen Kaffee angeboten?
aufschlagen	er schlägt auf	hat aufgeschlagen	Schlagen Sie bitte das Buch auf.
backen	er backt/bäckt	hat gebacken	Wir haben Brot gebacken.
besitzen	er besitzt	hat besessen	Sie besitzt drei Autos.
bestehen	er besteht	hat bestanden	Sie hat die Prüfung bestanden.
denken	er denkt	hat gedacht	Was denken Sie?
einfallen	es fällt ein	ist eingefallen	Mir fällt einfach nichts ein.
einziehen	er zieht ein	ist eingezogen	Wann kannst du in deine neue Wohnung einziehen?
entscheiden (sich)	er entscheidet	hat entschieden	Hast du dich für ein Buch entschieden?
entwerfen	er entwirft	hat entworfen	Entwerfen Sie ein Plakat!
erfinden	er erfindet	hat erfunden	Wer hat das Telefon erfunden?
fallen	er fällt	ist gefallen	Das Glas ist auf den Boden gefallen.
fliegen	er fliegt	ist geflogen	Wir fliegen dieses Jahr nach Chicago.
gelten	es gilt	hat gegolten	Generell gilt, dass sich Kinder duzen.
gießen	er gießt	hat gegossen	Könnten Sie bitte meine Blumen gießen?
halten	er hält	hat gehalten	Was hältst du von der Idee?
hängen	er hängt	hat gehangen	Der Mantel hängt an der Garderobe.
helfen	er hilft	hat geholfen	Danke, dass du mir geholfen hast.
kennen	er kennt	hat gekannt	Kennst du diesen Mann?
lassen	er lässt	hat gelassen	Lassen Sie auch Lücken für Pausen.
leihen	er leiht	hat geliehen	Leihst du mir einen Regenschirm?
mögen	er mag	hat gemocht	Er mag keine Tomatensauce.
reiten	er reitet	ist geritten	Früher ist sie viel auf ihrem Pferd geritten.
riechen	er riecht	hat gerochen	Die Rosen riechen gut.
scheinen	er scheint	hat geschienen	Die Sonne scheint.
schießen	er schießt	hat geschossen	Er hat ein Tor geschossen!
sprechen	er spricht	hat gesprochen	Sprechen Sie bitte nach dem Ton.
springen	er springt	ist gesprungen	Ich bin schon mal Fallschirm gesprungen.
steigen	er steigt	ist gestiegen	Die Temperatur steigt.
sterben	er stirbt	ist gestorben	Zum Glück ist er bei dem Unfall nicht gestorben.
stinken	er stinkt	hat gestunken	Der Müll stinkt.
streiten	er streitet	hat gestritten	Warum streitet ihr schon wieder?
tragen	er trägt	hat getragen	Kannst du kurz die Tasche tragen?
überweisen	er überweist	hat überwiesen	Ich habe das Geld auf dein Konto überwiesen.
verbinden	er verbindet	hat verbunden	Können Sie mich bitte mit Herrn Müller verbinden?
verlieren	er verliert	hat verloren	Ich habe mein Handy verloren.
verschieben	er verschiebt	hat verschoben	Sie haben die Prüfung auf Dienstag verschoben.
vorschlagen	er schlägt vor	hat vorgeschlagen	Ich möchte etwas vorschlagen.
wachsen	er wächst	ist gewachsen	Das Gras wächst schnell.

Netzwerk im Netz

Sie finden Bea, die Filmheldin, bei Facebook:

http://www.facebook.com/beakretschmar

Weiteres Material zum Üben finden Sie auf unserer Internetseite:

http://www.klett-sprachen.de/netzwerk

Zum Beispiel Transkripte zu den CDs und den DVDs, ein Sprachenportfolio oder auch interaktive Online-Übungen zu jedem Kapitel ...

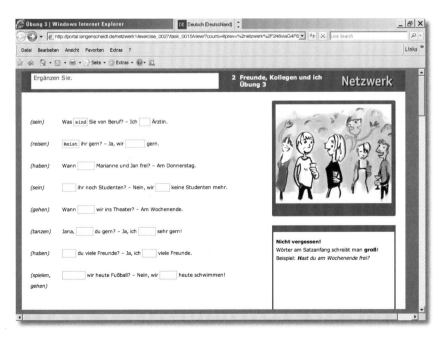

Quellenverzeichnis

Cover	oben: shutterstock.com – Valua Vitaly, unten: Aintschie – Fotolia.com
S. 4	K1, 3, 6: Dieter Mayr, K4: Paul Rusch, K5: Contrastwerkstatt – Fotolia.com
S. 5	K7: shutterstock.com – Michael Jung, K8 u. 9: Dieter Mayr, K10: „Wildschweine" von Franz Marc, K11: iStock – Gene Chutka, K12: Blickwinkel
S. 6	oben links: Fotolia.com oben rechts: shutterstock.com – Andre Bonn unten links und rechts: Fotolia.com
S. 7	shutterstock.com – Demid Borodin
S. 9	links: Charlotte Mörtl Mitte und rechts: Sabine Wenkums
S. 13	links und Mitte: Sabine Wenkums
S. 18	shutterstock.com – AISPIX by Image Source
S. 19	Sabine Wenkums
S. 20	v.o.: shutterstock.com, shutterstock.com – Monkey Business Images, Charlotte Mörtl, shutterstock.com – Tracy Whiteside
S. 24	links: info-graz.at Ulrike Rauch, mitte: Zepp-Cam, rechts: Fotolia.com
S. 25	Charlotte Mörtl
S. 26	Sabine Wenkums
S. 30	Dieter Mayr
S. 31	toonpool
S. 32	1. links: shutterstock.com – EDHAR; rechts: Sabine Wenkums 2. links: Sabine Wenkums; rechts: shutterstock.com 3. links: Sabine Wenkums; rechts: shutterstock.com 4. links: shutterstock.com – Oleksiy Mark; rechts: shutterstock.com – ArchMan
S. 33	oben links: Harald Lapp – pixelio.de oben rechts: iStock – Stephen Krow unten: Sabine Wenkums
S. 34	oben links: shutterstock.com – Andrey Arkusha, oben rechts: Stefanie Dengler, unten: shutterstock.com – Alen, unten rechts: shutterstock.com – T-Design
S. 36	1./2. getty, 3. Dieter Mayr, 4./5. getty, 6. Sabine Wenkums
S. 37	Dieter Mayr
S. 38	links: lunafilm.at Mitte: Cinetext-Constantin Film rechts: Twentieth Century Fox Home Entertainment
S. 41	Dieter Mayr
S. 47	Sabine Wenkums
S. 49	links: shutterstock.com – l i g h t p o e t Mitte und rechts: Sabine Wenkums
S. 51	dpa / picture-alliance
S. 64	Sabine Wenkums
S. 65	links: Deutsche Post AG Mitte: shutterstock.com – pryzmat rechts: Gina Sanders – Fotolia.com
S. 71	links und Mitte: Dieter Mayr rechts: Deutsche Bahn AG
S. 74	oben: Dieter Mayr unten: shutterstock.com – Baloncici
S. 87	links: Aaron Amat – shutterstock.com, Mitte: Andrey Arkusha – shutterstock.com, rechts: foto luminate – shutterstock.com
S. 90	links: iStockphoto – Chris Schmidt, rechts: iStockphoto
S. 92/93	Handelsblatt GmbH/WirtschaftsWoche (Text stark gekürzt und geändert)
S. 98	oben v.l.: shutterstock.com – Venus Angel, shutterstock.com – topal, shutterstock.com – ded pixto, robynmac – Fotolia.com, shutterstock.com – trekandshoot, D. Fabri – Fotolia.com, Mitte links u. rechts: shutterstock.com, Reiter: auremar – shutterstock.com unten links: shutterstock.com, Taucher: Benno Grams, unten rechts: iStockphoto – microgen
S. 99	links: Getty, rechts: Dieter Mayr
S. 100	picture alliance / Sven Simon, Trillerpfeife: shutterstock.com
S. 102	Getty
S. 106	shutterstock.com
S. 107	links: Getty, rechts: Dieter Mayr
S. 111	v.o.: mauritius-images, iStock – Irina Afonskaya, mauritius-images
S. 116	Karte: Theiss Heidolph, Frauenkirche: shutterstock.com, Kunsthofpassage: Alamy, Semperoper: ArturKo – shutterstock.com, Neue Synagoge: Getty, Kompass: poledigitalpix – Fotolia.com
S. 117	1 shutterstock.com, 2 Sandra Thiele – Fotolia.com, 3/4 Fotolia.com
S. 127	v.l.: Fotolia.com, Thomas-B – pixelio.de, Herzog & de Meuron/AFP/Getty
S. 134	Sabine Franke
S. 137	Sabine Franke
S. 139	Dieter Mayr
S. 145	april_89 – Fotolia.com
S. 146	(Rechte, auch für Tonaufnahme) „die zeit vergeht", Ernst Jandl, poetische Werke, hrsg. von Klaus Siblewski © 1997 Luchterhand Literaturverlag, München, in der Verlagsgruppe Random House GmbH
S. 149	v.l.: iStock – Gene Chutka, Dieter Mayr, laif
S. 150	v.l.: laif, Sabine Franke, Alamy-Robert Harding Picture Library
S. 151	Dieter Mayr
S. 154	1 Dieter Mayr, 2 pressmaster – Fotolia.com, 3 Stefanie Dengler
S. 156	Sibylle Freitag

Audio-CDs zu Netzwerk A2

CDs zum Arbeitsbuch A2

Sprecherinnen und Sprecher:

Ulrike Arnold, Katja Brenner, Christoph D. Brumme, Sarah Diewald, Niklas Graf, Tim Haimerl, Vanessa Jeker, Detlef Kügow, Crock Krumbiegel, Dominique Elisabeth Layla, Johanna Liebeneiner, Saskia Mallison, Alina Martius, Dieter Mayr, Charlotte Mörtl, Verena Rendtorff, Jakob Riedl, Leon Romano, Helge Sturmfels, Louis F. Thiele, Peter Veit, Benedikt Weber, Sabine Wenkums, Laura Zöphel

Musikproduktion, Aufnahme und Postproduktion:

Heinz Graf, Puchheim

Regie:

Sabine Wenkums

Laufzeiten:

Arbeitsbuch-CDs 106 min.